劉福春・李怡 主編

民國文學珍稀文獻集成

第一輯

新詩舊集影印叢編　第38冊

【聞一多卷】

紅燭

上海：泰東圖書局 1923 年 9 月版

聞一多 著

死水

上海：新月書店 1929 年 4 月版

聞一多 著

花木蘭文化出版社

國家圖書館出版品預行編目資料

紅燭／死水／聞一多 著 -- 初版 -- 新北市：花木蘭文化出版社，2016
〔民 105〕
292 面／100 面；19×26 公分
（民國文學珍稀文獻集成・第一輯・新詩舊集影印叢編 第 38 冊）
ISBN：978-986-404-622-5（套書精裝）
831.8 105002931

ISBN-978-986-404-622-5
9789864046225

民國文學珍稀文獻集成・第一輯・新詩舊集影印叢編（1-50 冊）
第 38 冊

紅燭
死水

著　　者　聞一多
主　　編　劉福春、李怡
企　　劃　首都師範大學中國詩歌研究中心
　　　　　北京師範大學民國歷史文化與文學研究中心
　　　　　（臺灣）政治大學民國歷史文化與文學研究中心
總 編 輯　杜潔祥
副總編輯　楊嘉樂
編　　輯　許郁翎
出　　版　花木蘭文化出版社
社　　長　高小娟
聯絡地址　235 新北市中和區中安街七二號十三樓
　　　　　電話：02-2923-1455／傳真：02-2923-1452
網　　址　http://www.huamulan.tw 信箱 hml 810518@gmail.com
印　　刷　普羅文化出版廣告事業
初　　版　2016 年 4 月
定　　價　第一輯 1-50 冊（精裝）新台幣 120,000 元

紅燭

聞一多 著

聞一多（1899-1946）原名聞家驊，生於湖北浠水。

泰東圖書局（上海）一九二三年九月初版。原書三十二開。

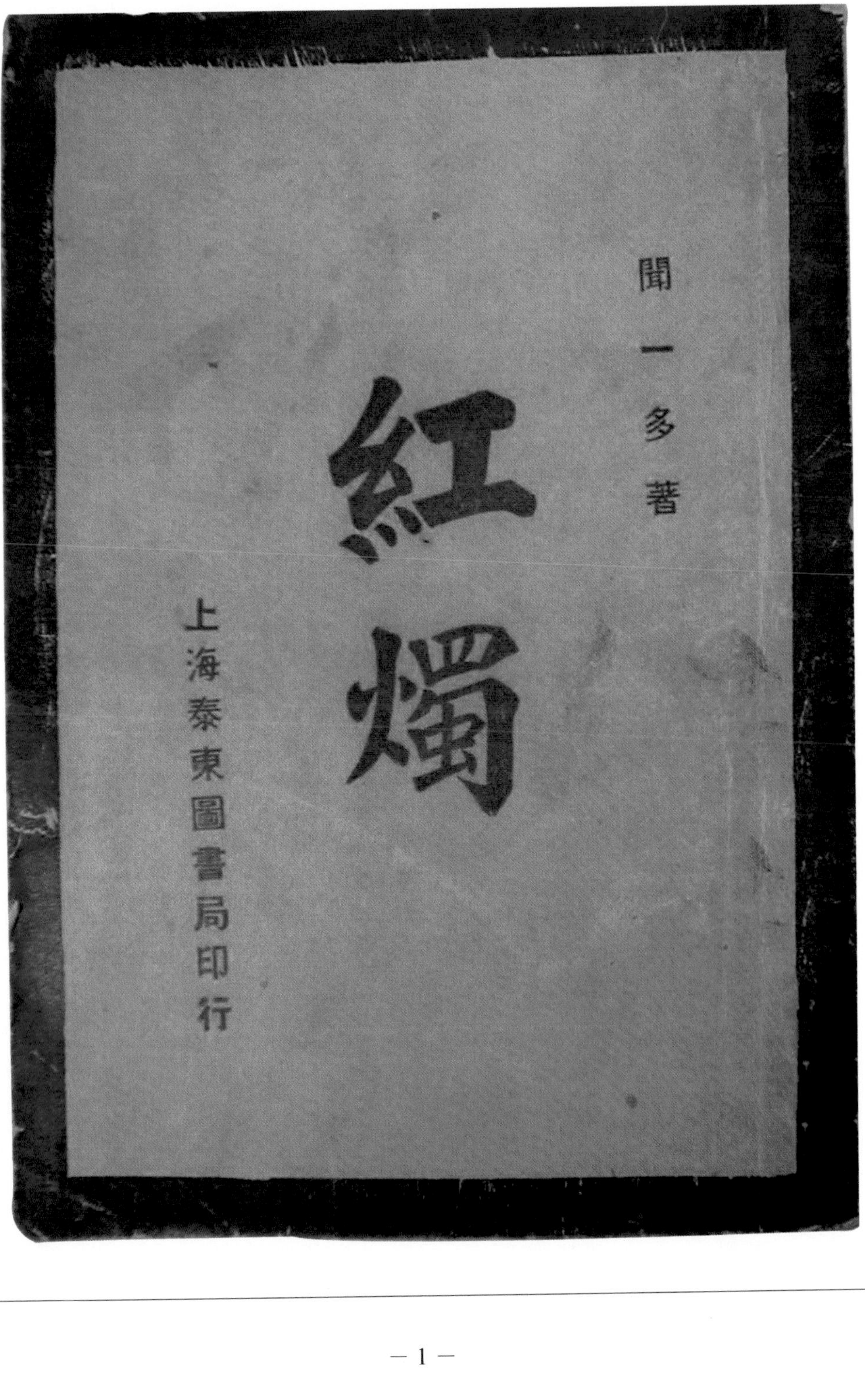
聞一多著
紅燭
上海泰東圖書局印行

紅燭目錄

目錄

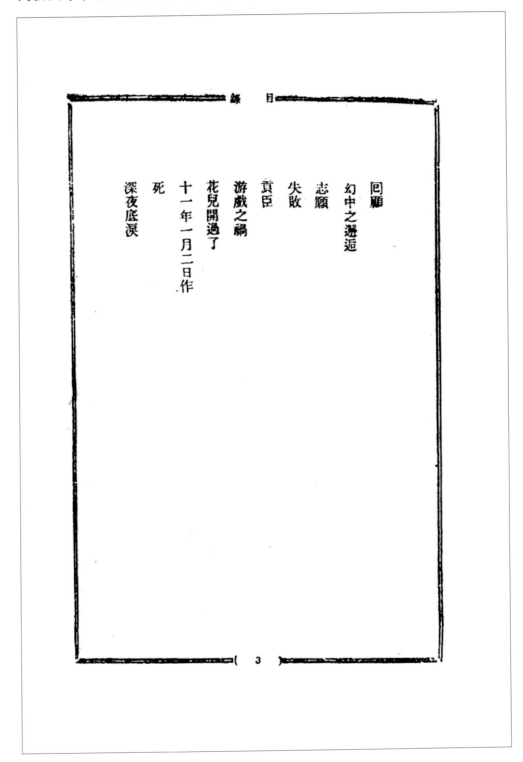

靑春篇

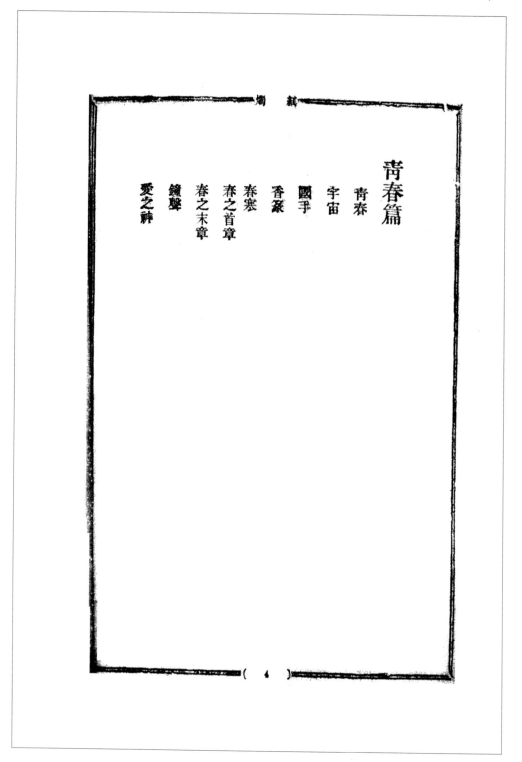

孤雁篇

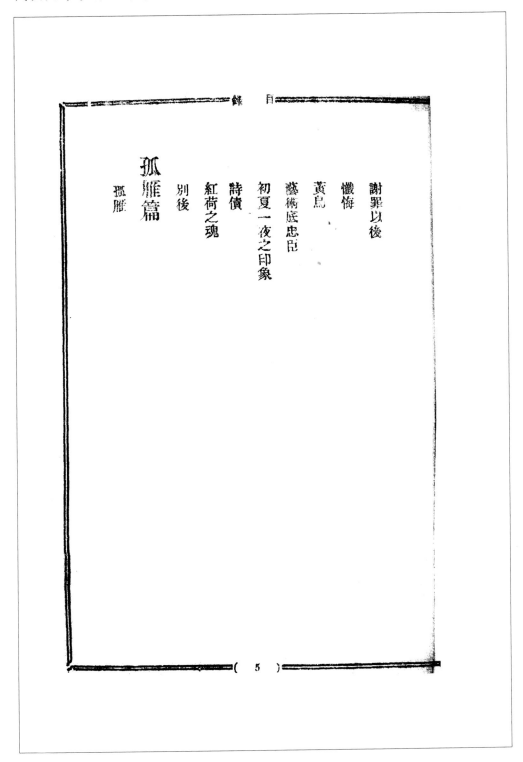

目錄

紅豆篇

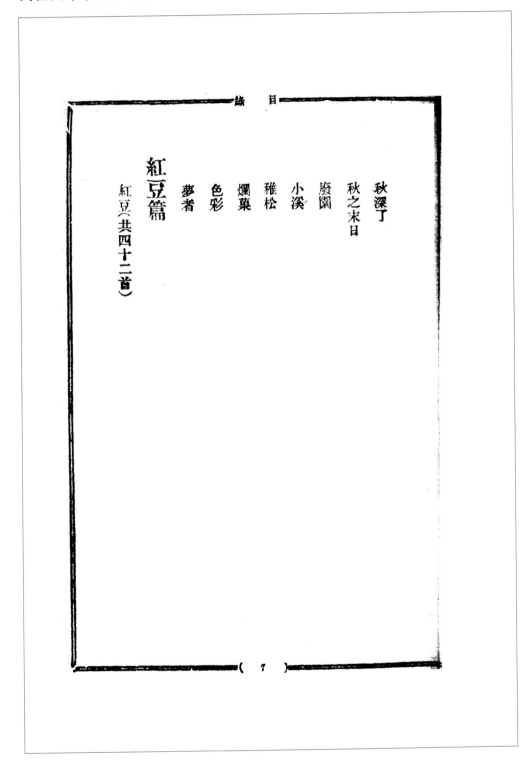

紅燭

(8)

紅燭

「蠟炬成灰淚始乾」——李商隱

紅燭啊！
這樣紅的燭！
詩人啊！
吐出你的心來比比，
可是一般顏色？

紅燭啊！
是誰製的蠟——給你軀體？

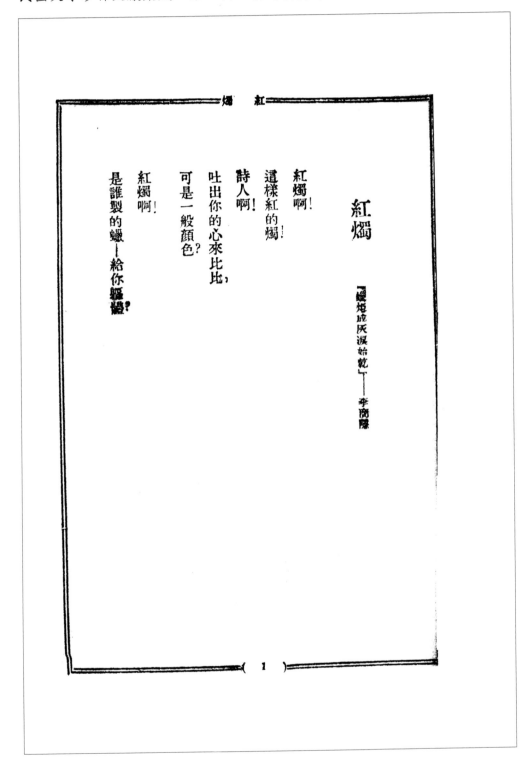

是誰點的火——點着靈魂？
爲何更須燒蠟成灰，
然後才放光出？
一誤再誤；
矛盾！衝突！

紅燭啊！
不誤，不誤！
原是要「燒」出你的光來——
這正是自然底方法。

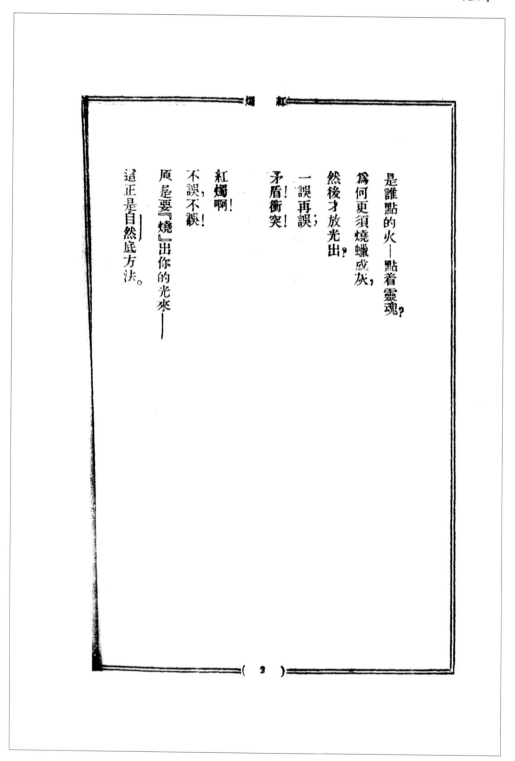

紅燭啊！
既製了，便燒着！
燒罷！燒罷！
燒破世人底夢，
燒沸世人底血——
也救出他們的靈魂
也搗破他們的監獄！

紅燭啊！
你心火發光之期，

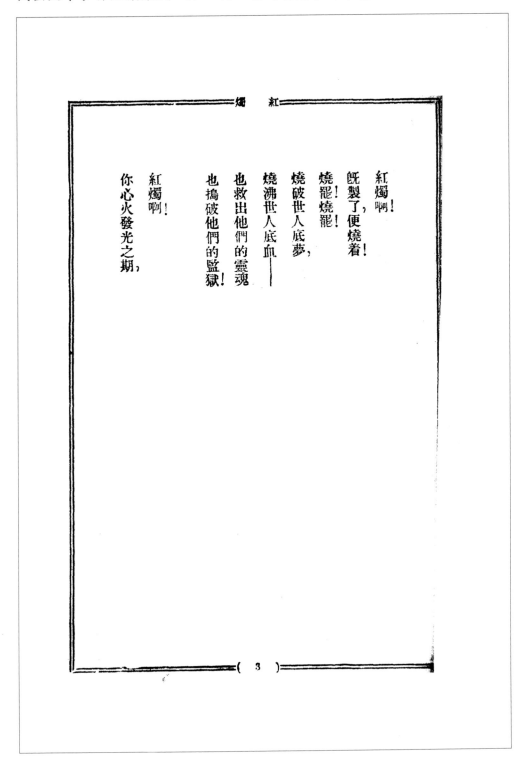

正是淚流開始之日。

紅燭啊！
匠人造了你，
原是爲燒的。
旣已燒着，
又何苦傷心流淚？
哦！我知道了！
是殘風來侵你的光芒，
你燒得不穩時，

才着急得流淚！
紅燭啊！
流罷！你怎能不流呢？
請將你的脂膏，
不息地流向人間，
培出慰藉底花兒，
結成快樂底果子！
紅燭啊！

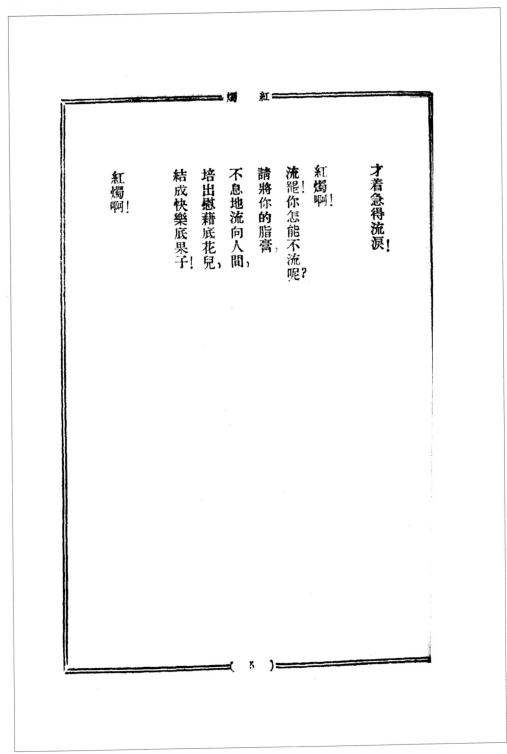

你流一滴淚，灰一分心。
灰心流淚你的果，
創造光明你的因。
紅燭啊！
『莫問收穫，但問耕耘，』

李白篇

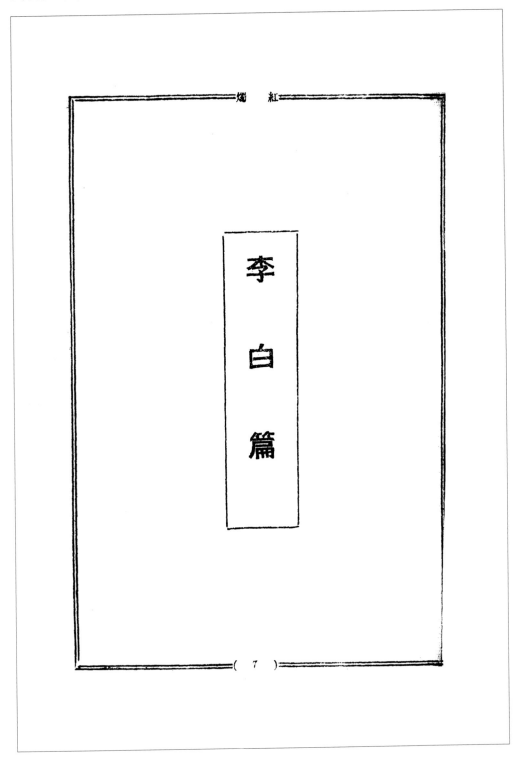

「醉月頻中聖，
迷花不事君。」

——李白——

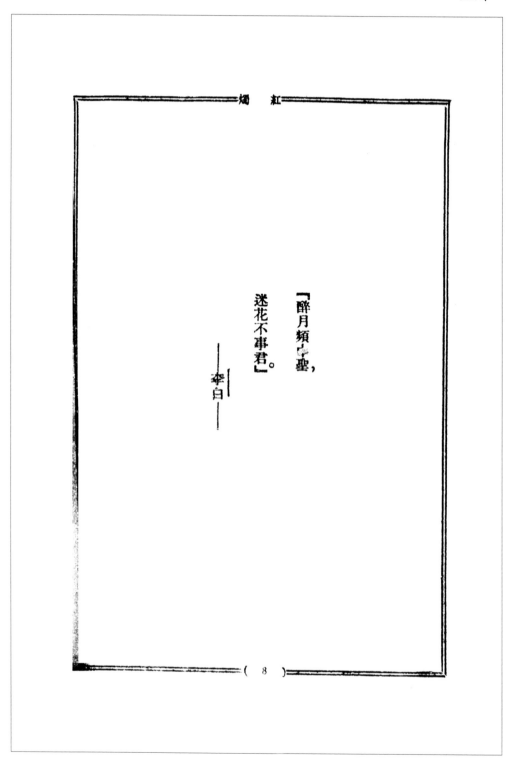

李白之死

世俗流傳太白以捉月騎鯨而終，本屬荒誕。此詩所述亦感臆造，無非欲藉以描畫詩人底人格罷了。讀者不要當作歷史看就對了。

「我本楚狂人，鳳歌笑孔邱。」——李白

一對龍燭已燒得只賸光桿兩枝，
却又借囘已流出的濃淚底餘脂，

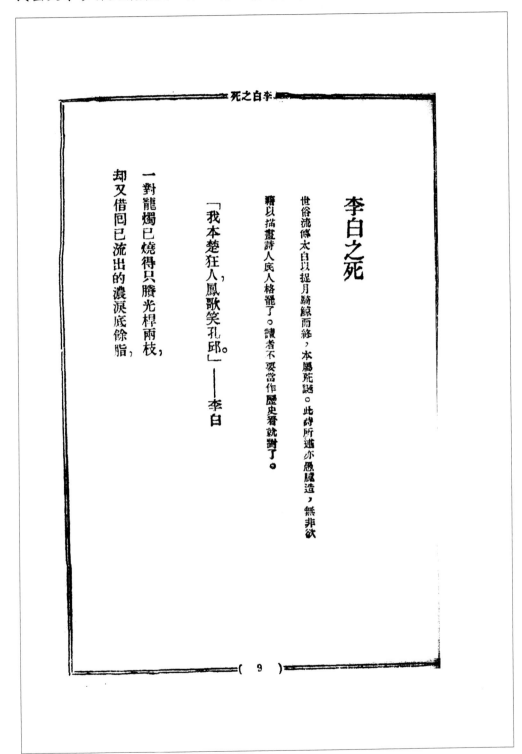

牽延着欲斷不斷的彌留的殘火，
在夜底喘息裏無効地抖擻振作。
盃盤狼籍在案上，酒罇睡倒在地下，
醉客散了，如同散陣投巢的烏鴉；
只那醉得最很，醉得如泥的李青蓮
（全身底骨架如同脫了榫的一般）
還歪倒倒的在花園底椅上堆着，
口裏喃喃地，不知到底說些什麼。
聲音聽不見了，嘴唇還㗻着不止；

忽地那絡着密密紅絲網的眼珠子，
(他自身也便像一個微小的醉漢)
對着那怯懦的燭焰瞪了半天：
彷彿一隻餓獅，發見了一個小獸，
一聲不響，兩眼睜睜地望他儘瞅；
然後輕輕地緩緩地舉起前脚，
便迅雷不及掩耳，忽地往前撲着——
像這樣，棹上兩對角擺着的燭架，
都被這個醉漢拉倒在地下。

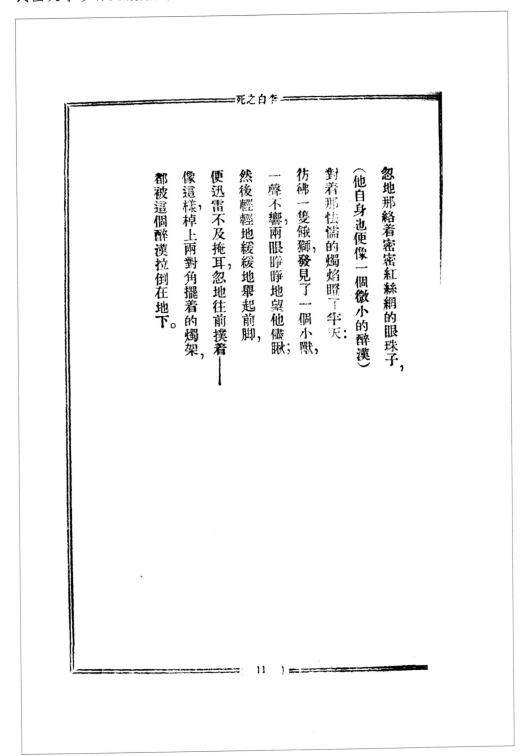

「哼哼！就是你，你這可惡的作怪，」
他從齒縫裏泌出聲音來，
「礙着我的月兒不能露面哪！
月兒啊！你如今應該出來了罷！
哈哈！我已經替你除了障礙，
驕傲的月兒，你怎麼還不出來？
你是瞧不起我嗎？啊，不錯！
你是天上廣寒宮裏的仙娥，
我呢？不過那戲弄黃土的女媧；
散到六合裏來底一顆塵沙！(一)

啊！不是誰不知我是太白之精？
我母親沒有在夢裏會過長庚？(二)
月兒，我們星月原是同族的，
我說我們本來是很面熟呢！」
在說話時，他沒留心那黑樹梢頭
漸漸有一層薄光將天幕烘透，
幾朵鉛灰雲彩一層層都被烘黃，
忽地有一個琥珀盤輕輕浮上，
（却又像沒動似的）他越浮得高，
越縮越下；顏色越褪淡了，直到

後來，竟變成銀子樣的白的亮——
於是全世界都浴着伊的晶光。
簇簇的花影也次第分明起來，
悄悄爬到人脚下偎着，總躲不開，——
像個小獅子狗兒睡醒了搖搖耳朵，
又移到主人身邊嬾洋洋地睡着。
詩人自身的影子，細長得可怕的一條，
竟拖到五步外的欄杆上坐起來了。
從葉縫裏篩過來的銀光跳盪，
醫着環子的獸面蠢似一朵縮菌，

也鼓着嘴兒笑了，但總笑不出聲音。
棹上一切的器皿，接受復又反射
那閃灼的光芒，又好像日下的盔中。

這段時間中，他通身的知覺都已死去，
那被酒催迫了的呼吸幾乎也要停駐；
兩眼只是對着碧空懸着的玉盤，
對着他儘看，看了又看，總看不倦。
『啊！美呀！』他嘆道，『淸寥的美！瑩澈的美！
宇宙爲你而存嗎？你爲宇宙而在？

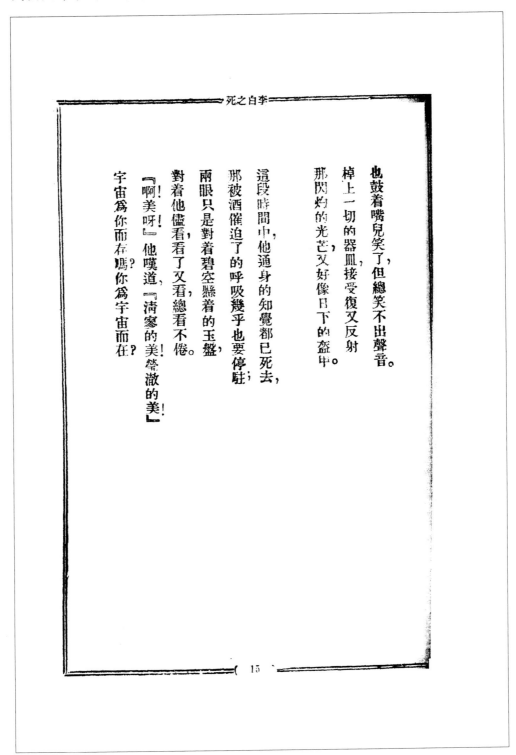

哎呀！怎麼總是可望而不可卽！
月兒呀月兒！難道我不應該愛你？
難道我們永遠便是這樣隔着？
月兒，你又總愛涎着臉皮跟着我；
等我被你媚狂了，要攀你下來，
却總攀你不到。唉！這樣狠又這樣乖！

月啊！你怎同天帝一樣地殘忍！
我要白日照我這至成的丹心，
猙獰的怒雷又砰訇地吼我；

我在落鴈峯前幾次朝拜帝座；(三)
額撞裂了，嗓叫破了，閶闔還不開。
吾愛啊！帝旁擎着雉扇的吾愛！
你可能問帝，我究犯了那條天律？
把我謫了下來，還不召我回去？(四)
帝啊！帝啊！我這罪過將永不能贖？
唏呀！我將無期地囚在這痛苦之窟？
又圓又大的熱淚滾向膨脹的胸前，
却有水銀一般地沈重與燦爛；
又像是剛同黑雲碰碎了的明月

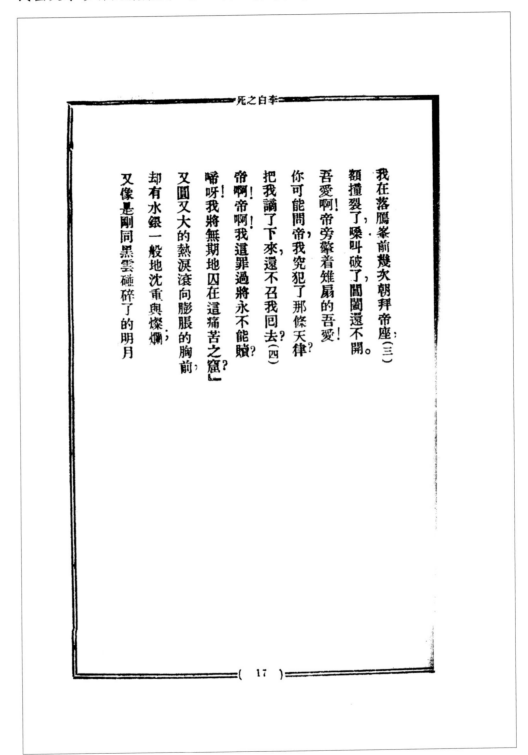

濺下來點點的殘屑，眩目的殘屑。

「帝呀！旣遣我來，就莫生他們！」他又講，
「他們，那般妖媚的狐狸，猜狠的豺狼！
我無心做我的詩，誰想着罵人呢？
他們小人總要忍心地吹毛求疵，
說那是譏誚伊的。哈哈！這眞是笑話！
他是個什麼人？他是個將軍嗎？
將軍不見得就不該替我脫鞾子。
唉！但是我爲什麼要作那樣好的詩？

這豈不自作的孽自招的罪?……(五)
那裏?我那裏配得上談詩?不配,不配;
謝玄暉才是千古的大詩人呢!——
那吟『餘霞散成綺,澄江淨如練』的
謝將軍,詩既做的那麼好——眞好!——
但是那裏像我這樣地坎坷潦倒?』(六)
然後,撐起胸膛,他長長地嘆了一聲。
只自身的影子點點頭,再沒別的同情?
這嘆聲,便似平遠的沙汀上一聲鳥語,
叫不應迴音,只悠悠地獨自沈沒,

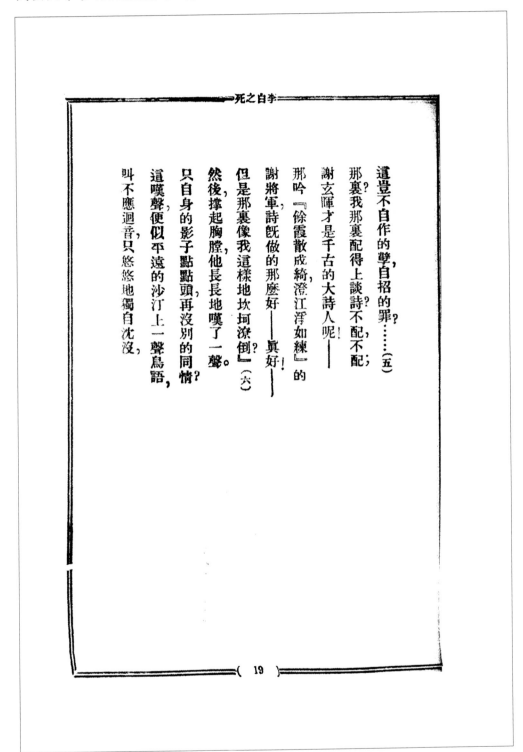

終於無可奈何，被寬嘴的寂靜吞了。

「啊「澄江淨如練，」這種妙處誰聽解道？

記得那囘東巡浮江底一個春天，——(七)

兩岸旌旗引着騰龍飛虎迴繞碧山，——

果然如是，果然是白練滿江……

唔？又講起他的事了？寃枉啊！寃枉！

夜郎有的是酒，有的是月，我豈怨嫌？(八)

但不記得那天夜半，我被捉上樓船！(九)

我企望談談笑笑，學着仲連安石們，

替他們解決些紛糾，掃却了胡塵。(十)
哈哈！誰又知道他竟起了野心呢？
哦，我竟被人賣了！但一半也怪我自己？」

這樣他便將那成灰的心漸漸扇着，
到底又得痛飲一頓，澆熄了愁底火，
誰知道這愁竟像田單底火牛一般：
熱油淋着，狂風煽着，越奔火越燃，
畢竟雖燒焦了骨肉，犧牲了生命，
那束刃的采帛却煥成五色的龍文：

如同這樣，李白那煎心烙肺的愁餘，
也便燒得他那幻象底輪子急轉，
轉出了滿牙齒上攢着的『麗藻春葩』。
於是他又講，『月兒！若不是你和他，』
手指着酒壺，『若不是你們的愛護，
我這生活可不還要百倍地痛苦？
啊！可愛的酒！自然賜給伊的驕子——
詩人底恩俸！啊，神奇的射愁底弓矢！
開啓瓊宮底管鑰！　瓊宮開了：
那裏有鳴泉漱石，玲鱗怪羽，仙花逸條；

又有瓊瑤的軒館同金碧的台榭；
還有吹不滿旗的靈風推着雲車，
滿載霓裳縹緲，彩珮玲瓏的仙娥，
給人們頒送着馳魂宕魄的天樂。
啊！是一個綺麗的蓬萊底世界，
被一層銀色的夢輕輕地鎖着在！

啊！月呀！可望而不可卽的明月！
當我看你看得正出神的時節，
我只覺得你那不可思議的美豔，

已經把我全身溶化成水質一團，
然後你那提絜海潮底全副的神力，
把我也吸起，浮向開遍水鑽花的
碧玉的草場上；這時我肩上忽展開
一隻翅膀，越張越大，在空中徘徊，
如同一隻大鵬浮游於八極之表。（十一）
哦，月兒，我這時不敢正眼看你了！
你那太強烈的光芒刺得我心痛。……
忽地一陣清香攪着我的鼻孔，
我喫了一個寒噤，猛開眼一看，……

哎呀！怎地這樣一副美貌的容顏！
醜陋的塵世！你那有過這樣的副本？
啊！布置得這樣調和，又這般端整，
竟同一闋鸞鳳和鳴底樂章一般！
哦，我如何能信任我的這隻肉眼？
我不相信宇宙間竟有這樣的美！
啊，大胆的我喲，還不自慚形穢，
竟敢現於伊前！——啊！笨愚呀糊塗！——
這時我只覺得頭昏眼花，血凝心沍；
我覺得我是汚爛的石頭一塊，

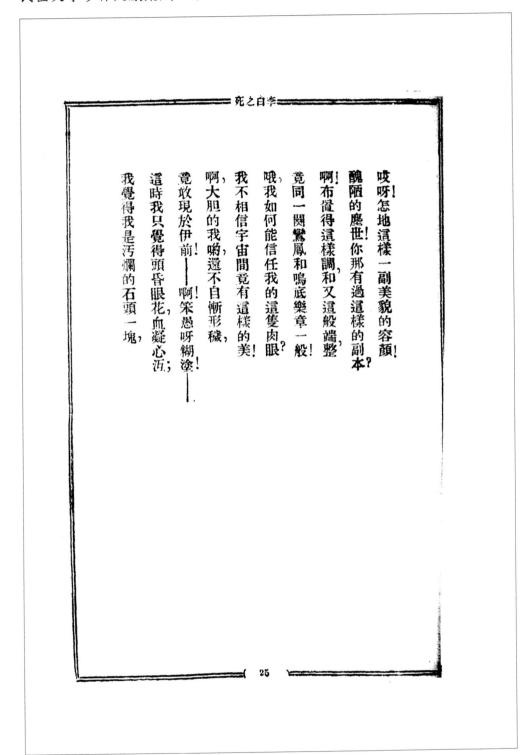

被上界底清道夫抛擲了下來，
擲到一個無垠的黑黯的虛空裏，
墜降，墜降，永無着落，永無休止！

月兒初還在池下絲絲柳影後窺看，
像沐罷的美人在玻璃窗口晾髮一般；
於今却已跚跚移步出來到了池西；
夜颸底私語不知說破了什麼消息，
池波一皺又惹動了伊嫺靜的微笑。
沉醉的詩人忽又戰巍巍地站起了，

東倒西歪地挨到池邊望着那晶波。
他看見這月兒他不覺驚訝地想着：
如何這裏又有一個伊呢？奇怪！奇怪！
難道天有兩個月，我有兩個愛？
難道剛才伊送我下來時失了脚；
掉在這池裏了嗎？——這樣他正疑着……
他脚底下正當活潑的小澗注入池中，
被一叢剛勁的菖蒲鯁塞了喉嚨，
便咯咯地咽着像喘不出氣的嘔吐。
他聽着吃了一驚，不由得放聲大哭：

『哎呀！愛人啊！淹死了，已經叫不出聲了！』
他翻身跳下池去了，便向伊一抱，
伊已不見了，他更驚慌地叫着，
却不知道自己也叫不出聲了！
他掙扎着向上猛踊，再昂頭一望，
又見圓圓的月兒還平安地貼在天上。
他的力已盡了，氣已竭了，他要笑，
笑不出了，只想道：『我已救伊上天了！』

【註】（一）『女媧戲黃土，團作愚下人，散在六合間，濛濛如沙塵。』——上雲樂

（二）『驚姜之夕，長庚入夢，故生而名白，以太白字之。』——李陽冰草堂

集序

(三)『李白登華山落鴈峯曰：「此山最高，呼吸之氣想通天帝座矣。恨不攜謝眺驚人詩來搔首問青天耳！」』——雲仙雜記

(四)賀知章稱白爲「謫仙人」。

(五)高力士以脫靴事蓄怨於白。玄宗嘗與太眞賞花於沉香亭，詔白爲樂章；白作平淸調以獻。力士摘之以譏於太眞。自是帝每欲重用白，輒爲太眞所沮。——見唐書本傳

(六)白生平最服膺謝眺，詩中屢次稱道。有句云：『解道「澄江淨如練」，令人長憶謝玄暉』。

(七)白嘗依永王璘；有永王東巡歌十一首。

（八）永王作亂，事敗；白流於夜郎。

（九）『半夜水軍來，追脅上樓船』——贈江夏太守

（十）『但用東山謝安石，爲君談笑靜胡沙』——永王東巡歌

『所冀旄頭滅，功成追魯連』——在水軍宴，與幕府諸公

（十一）『余昔於江陵，口見天台司馬子微謂余有仙風道骨，可與之神遊八極之表。因著大鵬遇希有鳥賦以自廣。』——大鵬賦序

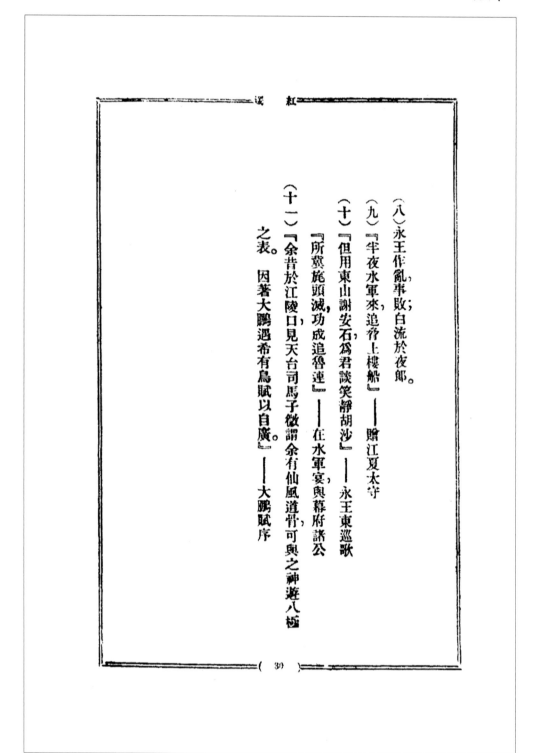

劍匣

I built my soul a lordly pleasure-house,
  Wherein at ease for aye to dwell.
  ……………………………………

And'While the world runs round and round, 'I said,
  'Reign thou apart, a quiet king,
Still as, while saturn whirls,his steadfast shade
  Sleeps on his luminous ring'.

To which my soul made answer readily:

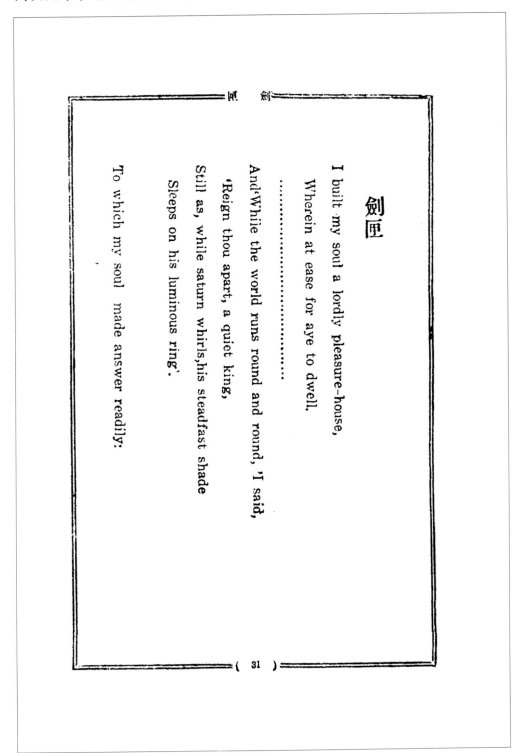

'Trust me in bliss I shall abide
In this great mansion, that is built for me,
So royal-rich and wide'.

——Tennyson——

在生命底大激戰中，
我曾是一名蓋世的驍將。
我走到四面楚歌底末路時，
並不同項羽那般頑固，
定要投身於命運底羅網。

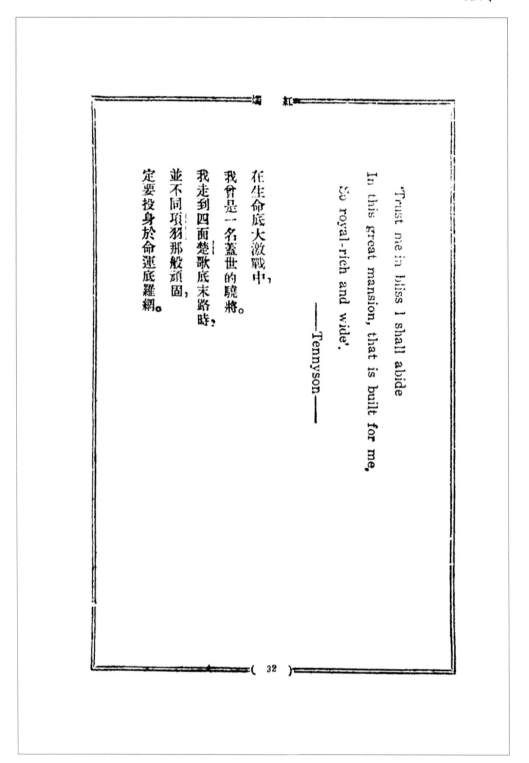

但我有這絕島作了堡壘，
可以永遠駐紮我的退敗的心兵。
在這裏我將養好了我的戰創，
在這裏我將忘却了我的仇敵。

在這裏我將作個無名的農夫，
但我將讓閑惰底蕪蔓
蠶食了我的生命之田。
也許因爲我這肥淚底無心的灌溉，
一旦蕪蔓還要開出花來呢？

那我就鎮日徜徉在田塍上，
飽喝着他們的明豔的色彩。

我也可以作個海上的漁夫：
我將撒開我的幻想之網。
在寥濶的海洋裏；
在放網收網之間，
我可以坐在沙岸上做我的夢，
從日出夢到黄昏……
假若撤起網來不是一些魚蝦，

只有海樹珊瑚同含胎的老蚌，
那我却也喜出望外呢。
有時我也可佩佩我的舊劍，
踱山進去作個樵夫。
但羣松舞着葱翠的干戚，
雍容地唱着歌兒時，
我又不覺得心悸了。
我立刻套上我的寶劍，
在空山裏裘裹了一天。
有時看見些奇怪的彩石，

我便拾起來，帶了回去；
這便算我這一日底成績了。

但這不是全無意識的。
現在我得着這些材料，
我眞得其所了；
我可以開始我的工匠生活了，
開始修葺那久要修葺的劍匣。

我將攤開所有的珍寶，

陳列在我面前，
一樣樣的雕着，鏤着，
磨着，重磨着……
然後將他們都鑲在劍匣上，——
用我的每齣的夢作藍本，
鏤成各種光怪陸離的圖畫。
我將描出白面美髯的太乙——
臥在粉紅色的荷花瓣裏，
在象牙雕成的白雲裏飄着。

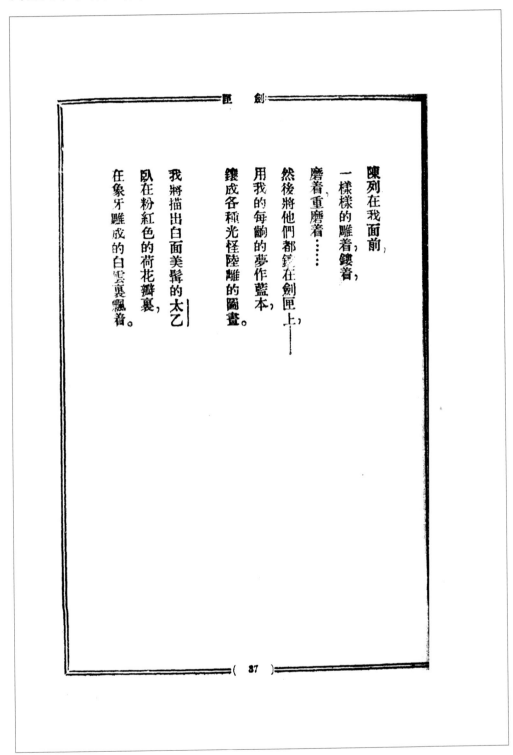

我將用墨玉同金絲
製出一隻雷紋商嵌的香爐;
那爐上駐着嬝嬝的篆煙,
許只可用半透明的貓兒眼刻着。
煙痕半消未滅之處,
隱約地又昇起了一個玉人,
彷彿是肉袒的維納司呢……
這塊玫瑰玉正合伊那膚色了。

晨雞驚聳地叫着,

我在蛋白的曙光裏工作，
夜晚人們都睡去，我還作着工——
燭光抹在我的直陡的額上，
好像紫銅色的晚霞
映在精赤的懸崖上一樣。

我又將用瑪瑙雕成一尊梵像，
三首六臂的梵像，
騎在魚子石的象背上。
珊瑚作他口裏含着的火，

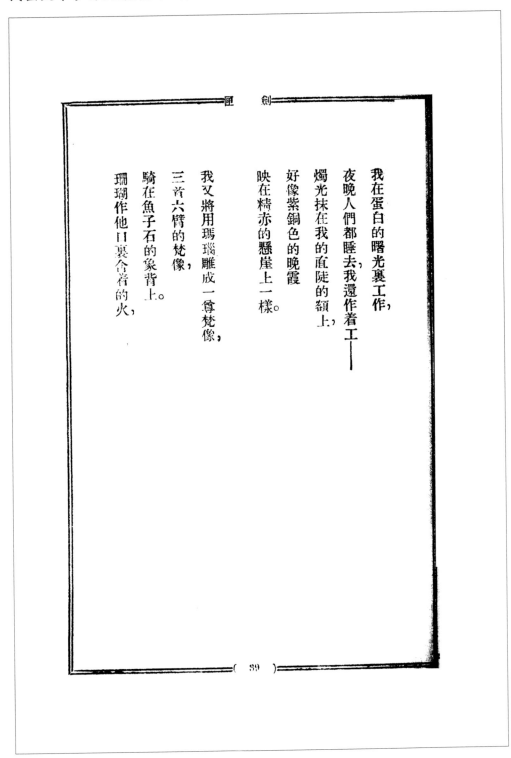

銀線辮成他腰間纏着的蟒蛇，
他頭上的圓光是塊琥珀的圓璧。

我又將鑲出一個瞎人
在竹筏上彈着單弦的古瑟。
（這可要鑲得和王叔遠底
桃核雕成的赤壁賦一般精細。）
然後讓翡翠，藍瓚，玉，紫石瑛，
錯雜地砌成一片驚濤駭浪；
再用碎礫的螺鈿點綴着，

那便是濤頭閃目的沫花了。
上面再籠着一張烏金的穹蓋，
只有一顆寶鑽的星兒照着。

春草綠了，綠上了我的門堦，
我同春一塊兒工作着；
蟋蟀在我牀下唱着秋歌，
我也唱着歌兒作我的活。

我一壁工作着，一壁唱着歌：

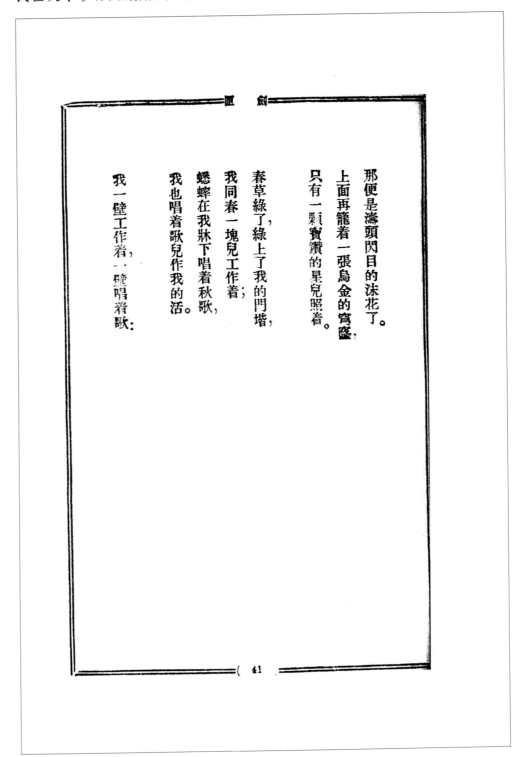

我的歌裏的律呂
都從手指尖頭流出來，
我又將他製成層疊的花邊：
有盤龍，對鳳，天馬，辟邪底花邊，
有芝草，玉蓮，萬字，雙勝底花邊，
又有各色的漢紋邊
套在最外的一層邊外。

若果邊上還缺些角花，
把蝴蝶嵌進去應當恰好。

瑋瑁刻作梁山伯，
璧璽刻作祝英台，
碧玉，赤瑛，白瑪瑙，藍琉璃，……
拚成各種彩色的鳳蝶。
於是我的大功便告成了！
哦，我的大功告成了！
你不要輕看了我這些工作！
這些不倫不類的花樣，
你該知道不是我的手筆，
這都是夢底原稾底影本。

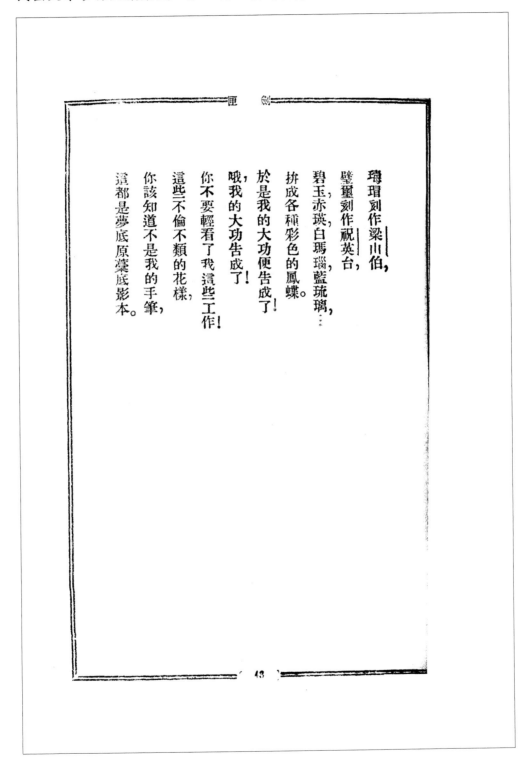

這些不倫不類的色彩，
也不是我的意匠底產品，
是我那蕪蔓底花兒開出來的。
你不要輕看了我這些工作喲！

哦，我的大功告成了！
我將抽出我的寶劍來——
我的百鍊成剛的寶劍，
吻着他吻着他……
吻去他的銹吻去他的傷疤；

用熱淚洗着他，洗着他……
洗淨他上面的血痕，
洗淨他罪孽底遺跡；
又在龍涎香上薰着他，
薰去了他一切腥羶的記憶。
然後輕輕把他送進這匣裏，
唱着溫柔的歌兒，
催他快在這藝術之宮中酣睡。

哦，
哦，我的大功告成了！

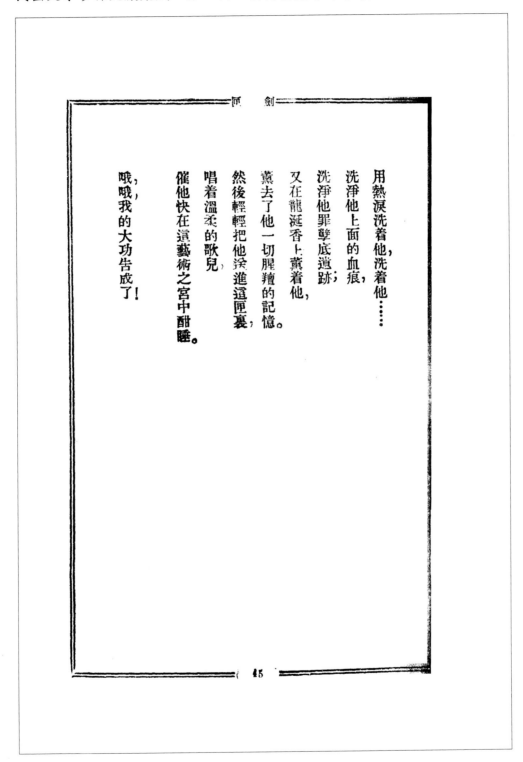

我的大功終於告成了！
人們的匣是爲保護劍底鋒鋩，
我的匣是要藏他睡覺的。
哦，我的劍匣修成了，
我的劍有了永久的歸宿了！

哦，我的劍要歸寢了！
我不要學輕佻的李將軍，
拿他的兵器去射老虎，
其實只射着一塊僵冷的頑石。

哦，我的劍要歸寢了！
我也不要學迂腐的李翰林，
拿他的兵器去割流水，
一壁割着，一壁水又流着。
哦！我的兵器只要韜藏，
我的兵器只要酣睡。
我的兵器不要斬芟奸橫，
我知道奸橫是僵冷的頑石一堆；
我的兵器也不要割着愁苦，
我知道愁苦是割不斷的流水。

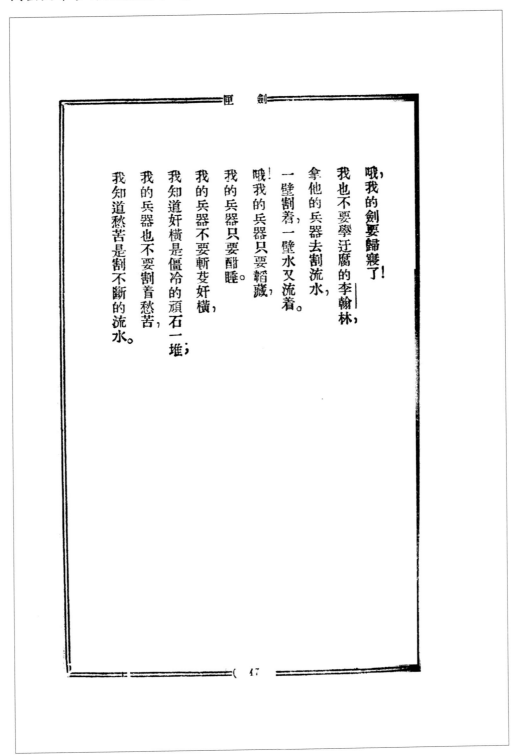

哦，我的大功告成了！
讓我的寶劍歸寢了！
我豈似滑頭的漢高祖——，
拿寶劍斫死了一條白蛇，
因此造一個謠言，
就騙到了一個天下？
哦！天下，我早已得着了啊！
我早坐在藝術底鳳闕裏，
像大舜皇帝——，垂裳而治着
我的波希米亞——的世界了啊！

哦！讓我的寶劍歸寢罷！
我又豈似無聊的楚霸王，
拿寶劍斫掉多少的人頭，
一夜夢回聽着怳惚的歌聲，
忽又擁着愛姬，撫着名馬，
提起原劍來刎了自己的頸？
哦！但我又不妨學了楚霸王，
用自己的寶劍自殺了自己。
不過果然我要自殺，

定不用這寶劍底鋒鋩。
我但願展玩着這劍匣——
展玩着我這自製的劍匣，
我便昏死在他的光彩裏！

哦我的大，功告成了！
我將讓寶劍在匣裏睡着覺，
我將摩撫着這劍匣，
我將寵媚着這劍匣，——
看着魏着神蟒的梵像，

我將巍巍地抖顫了，
看看筏上鼓瑟的瞎人，
我將號咷地哭泣了；
看看睡在荷瓣裏的太乙，
飄在篆煙上的玉人，
我又將迷迷地嫣笑了呢！

哦，我的大功告成了！
我將讓寶劍在匣裏睡着。
我將看着他那光怪的圖畫，

重溫我的成形的夢幻，
我將看着他那異彩的花邊，
再唱着我的結晶的音樂。

啊！我將看着，看着，看着，
看到劍匣戰動了，
糢糊了，更糢糊了
一個煙霧瀰漫的虛空了，……

哦！我看到肺臟忘了呼吸，

血液忘了流駛，
看到眼睛忘了看了。
哦！我自殺了！
我用自製的劍匣自殺了！
哦哦！我的大功告成了！

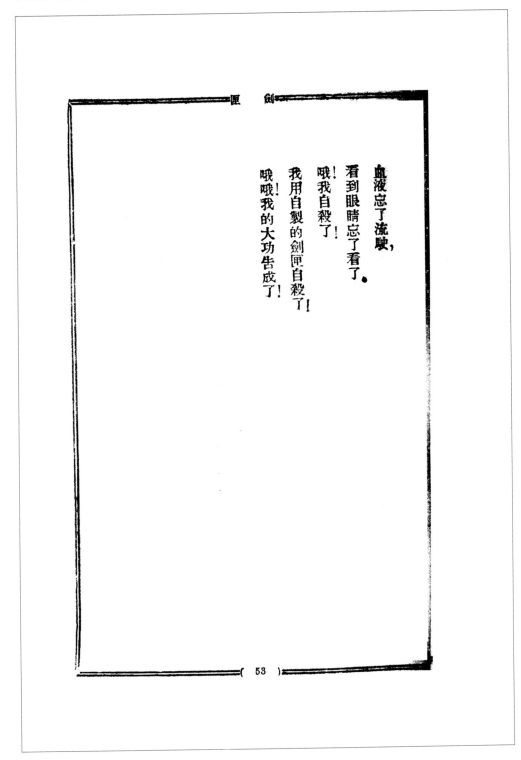

西岸

"He has a lusty spring, when fancy clear
Takes in all beauty within an easy span." — Keats

這裏是一道河，一道大河，
寬無邊，深無底；
四季裏風姨巡遍世界，
便回到河上來休息；
滿天糊着無涯的苦霧，
壓着滿河無期的死睡。

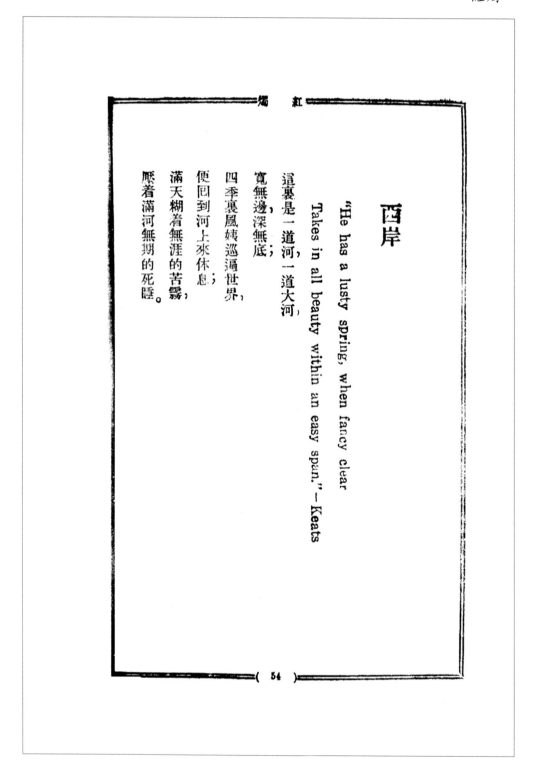

河岸下酣睡着，河岸上
反起了不斷的波瀾，
啊！捲走了多少的痛苦！
淘盡了多少的欣歡！
多少心被羞媿才鞭馴，
一轉眼被虛榮又煽癲！
鞭下去煽起來，
又莫非是金錢底買賣。
黑夜哄着雙瞎的人馬，
前潮刷走，後潮又挾回。

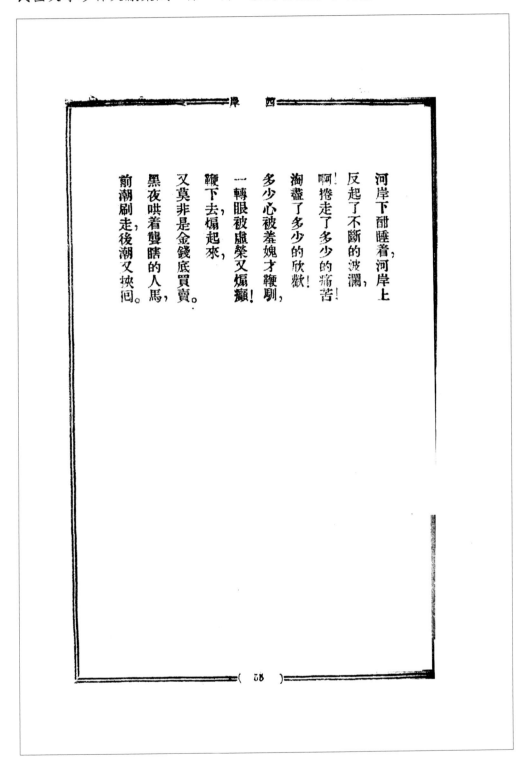

沒有眞，沒有美，沒有善，
更那裏去找光明來！

但不怕那大澤裏，
風波怎樣兒，水獸怎樣猛，
總難驚破那淺水蘆花裏
那些山草的幽夢，——
一樣的，有個人也逃脫了
河岸上那紛糾的樊籠。
他見了這寬深的大河，

便私心喚醒了些疑義：
分明是一道河，有東岸，
豈有沒個西岸底道理？
啊！這東岸底黑暗恰是那
西岸底光明底影子。

但是滿河無期的死睡，
撑着滿天無涯的霧幙；
西岸也許有，但是誰看見？
哎……這話也不錯。

「惡霧遮不住我，」心講道，
「見不着那是目底過！」
有時他忽見濃霧變得
棑樣薄，在風翅上盪漾；
霧縫裏又篩出些
絲絲的金光灑在河身上。
！看那裏！可不是個大黿背？
毛髮又長得那樣長。
不是的！到是一座小島

戴着一頭的花草:
看!燦爛的魚龍都出來
曬甲,青理鬚橈;
鴛鴦洗刷完了喙子
插在翅膀裏睡着覺了。
鴛鴦睡了,百鱗退了——
滿河一片悽涼;
太陽也沒興捲起了金練,
讓霧簾重往下放:
惡霧瞪着死水,一切的

於是又問從前一樣。

「啊！我懂了，我何曾見着
那美人底容儀？
但猜着蠕動的綉裳下，
定有副美人底肢體。
同一理：見着的是小島，
猜着的是岸西。」
一道河中一座島，河西
一盞燈光被島遮斷了。」

找條陸道過去多麼穩！」
還有人明曉得道兒
只這一條，單恨生來錯——
難學那些鳥兒飛着渡，
難學那些魚兒划着過，
却總都怕說得「搭個橋，
穿過，島，走着過！」爲什麼？

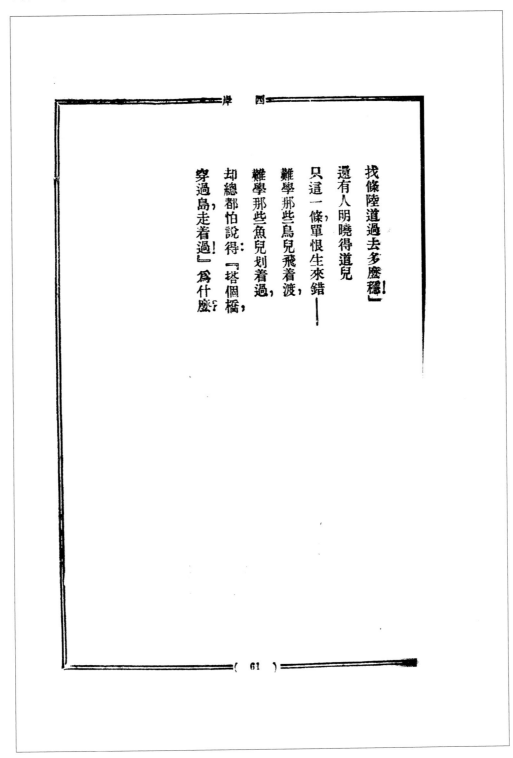

這語聲到處，是有些人
鸚哥樣，聽熟了，也會叫；
但是那多數的人
不笑他發狂，便駡他造謠。

也有人相信他，但還講道：
西岸地豈是為東岸人？
若不然，為什麼要劃開
一道河，這樣寬又這樣深？」
有人講：河『太寬，霧正密，

雨夜篇

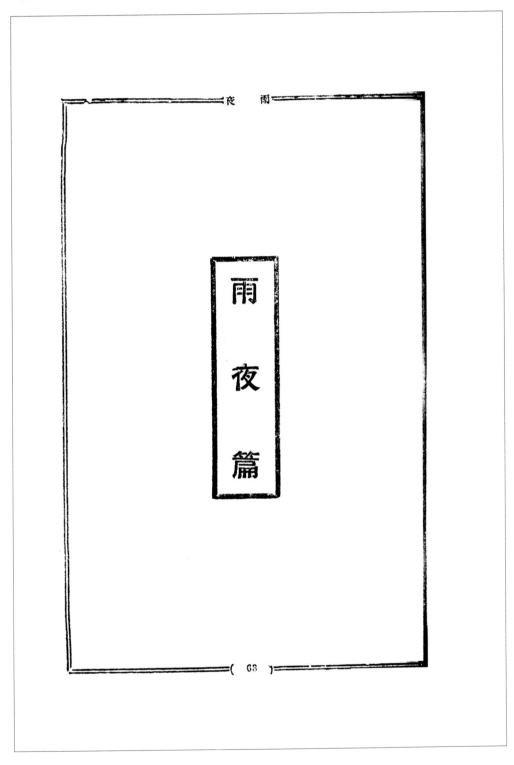

「千林風雨鶯求友」

——黃庭堅——

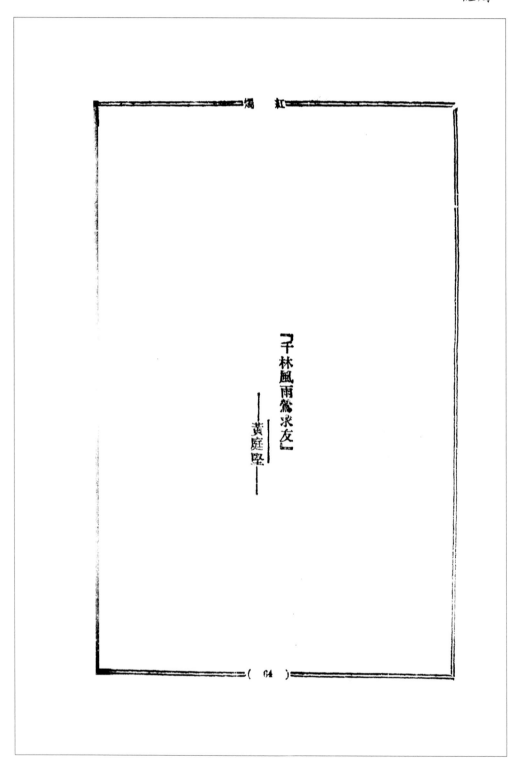

雨夜

幾朶浮雲仗着雷雨底勢力，
把一天底星月都掃盡了。
一陣狂風還喊來要捉那輭弱的樹枝，
樹枝拚命地扭來扭去，
但是無法躲避風底爪子。

兇很的風聲，悲酸的雨聲——
我一壁聽着，一壁想着；

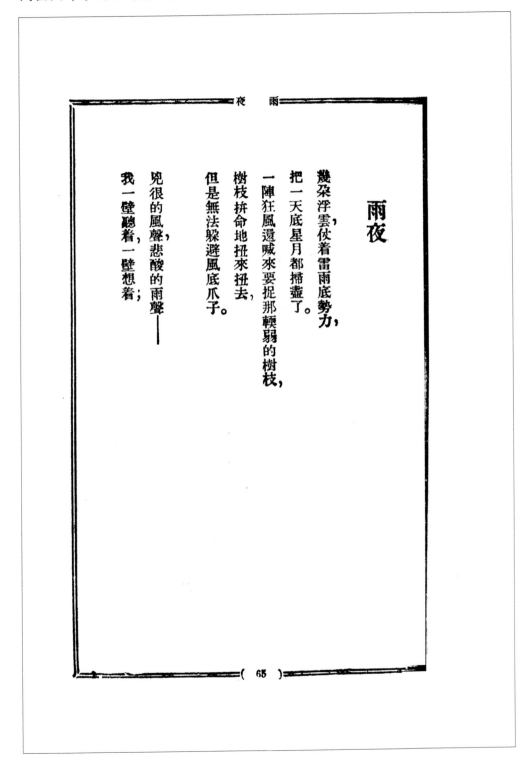

假使夢這時要來找我，
我定要永遠拉着他，不放他走；
還𠜱出我的心來送他作贄禮，
他要收我作個莫逆的朋友。
風聲還在樹裏呻吟着，
淚痕滿面的曙天白得可怕，
我的夢依然沒有做成。
哦！原來真的已被我厭惡了，
假的就沒他自身的尊嚴嗎？

雪

夜散下無數茸毛似的天花，
織成一件大氅，
輕輕地將顛頳的世界，
從頭到脚地包了起來；
又加了死人一層殮衣。

伊將一片魚鱗似的屋頂埋起了，
却總埋不住那屋頂上的青煙縷。

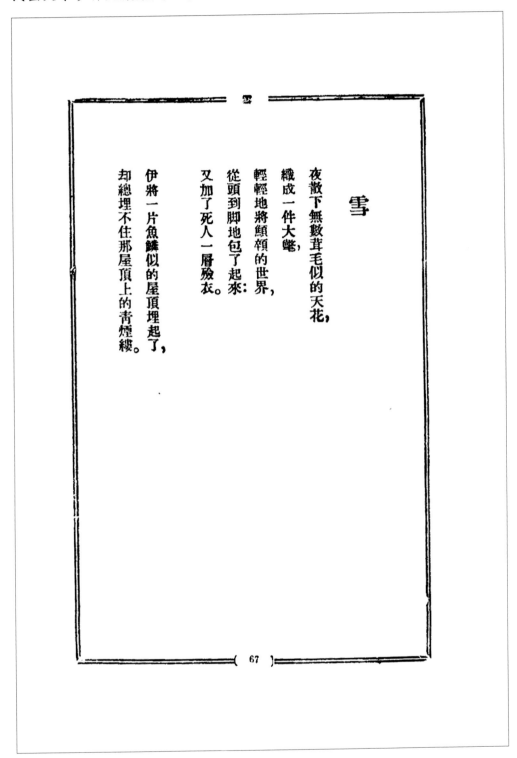

啊！縷縷蜿蜒的青煙啊！
彷彿是詩人向上的靈魂，
穿透自身的軀殼：直向天堂邁往。

高視闊步的風霜蹂躪世界，
森林裏抖顫的衆生戰鬬多時，
最末望見伊底白旄，
都歡聲喊道：「和平到了！奮鬬成功了！
這不是冬投降底白旗嗎？」

睡覺的，撐開枯腸深深地喝着！
快酌，快喝！喝着。睡着！
莫又醒了，切莫醒了！
但是還響點擂着，䡵雷！
我祇愛聽這自然底壯美底迴音，
他警告我這時候
那人心宮底禁闥大開，
上帝在裏頭登極了！

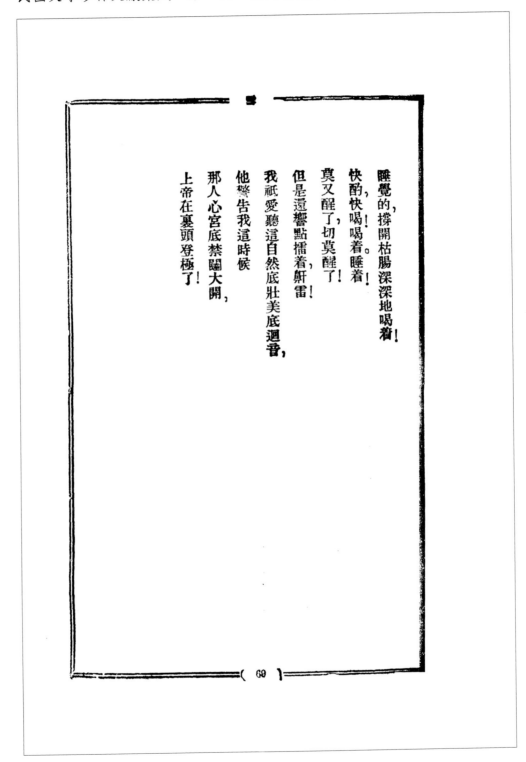

睡者

燈兒滅了，人兒在床；
月兒底銀潮
瀝過了葉縫，衝進了洞窗，
射到睡覺的雙靨上，
跟他親了嘴兒又偎臉，
便洗淨一切感情底表象，
只賸下了如夢幻的天眞，
籠在那連耳目口鼻

都分不清的玉影上。

啊！這才是人底眞色相！
這才是自然底眞創造！
自然只此一副模型；
鑄了月面，又鑄人面。

哦！但是我愛這睡覺的人，
他醒了我又怕他呢！
我越看這可愛的睡容，

想起那醒容，越發可怕。
啊！讓我睡了，躲脫他的醉罷！
可是瞌睡像隻秋燕，
在我眼簾前掠了一週，
忽地翻身飛去了，
不知幾時才能得回來呢？
月兒，將銀潮密密地酌着！

黃昏

太陽辛苦了一天，
賺得一個平安的黃昏，
喜得滿面通紅，
一氣直往山窪裏狂奔。

黑黯好比無聲的雨絲，
慢慢往世界上飄灑……
貪睡的合歡疊攏了綠鬢，鈎下了柔頸，

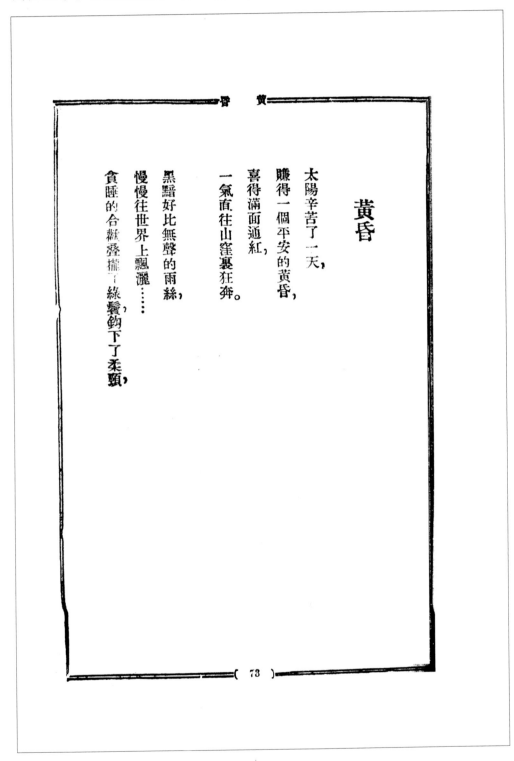

路燈也一齊偷了殘霞，換了金花；
單剩那噴水池
不怕驚破別家底酣夢，
依然活潑潑地高呼狂笑，獨自玩耍。
飯後散步的人們，
好像剛吃飽了蜜的蜂兒一窩，
三三五五的都往
馬路上頭，板橋欄畔飛着。
嗡…嗡…嗡…聽聽唱的什麼——
　　是花色底美醜？

是蜜味底厚薄?
是女王底專制?
是東風底殘虐?

啊!神祕的黃昏啊!
問你這首玄妙的歌兒,
這輩囂喧的衆生
誰個唱的是你的眞義?

時間底教訓

太陽射上床，驚走了夢魂，
昨日底煩惱去了，今日底還沒來呢。
啊！這樣肥飽的鶉聲，
稻林裏擠擠出來——來到我心房釀蜜，
還同我的，萬物底蜜心，
融合作一團快樂——生命底唯一眞義。

此刻時間望我儘笑，

我便合掌向他祈禱：『賜我無盡期！』
可怕！那笑還是冷笑；
那裏？他把眉尖鎖起，居然生了氣。

『地得地得！』聽那壁上的鐘聲，
果同快馬狂蹄一般地奔騰。
那騎者還彷彿吼着：
『儘可多多創造快樂去填滿時間；
那可活活縛着時間來陪着快樂？』

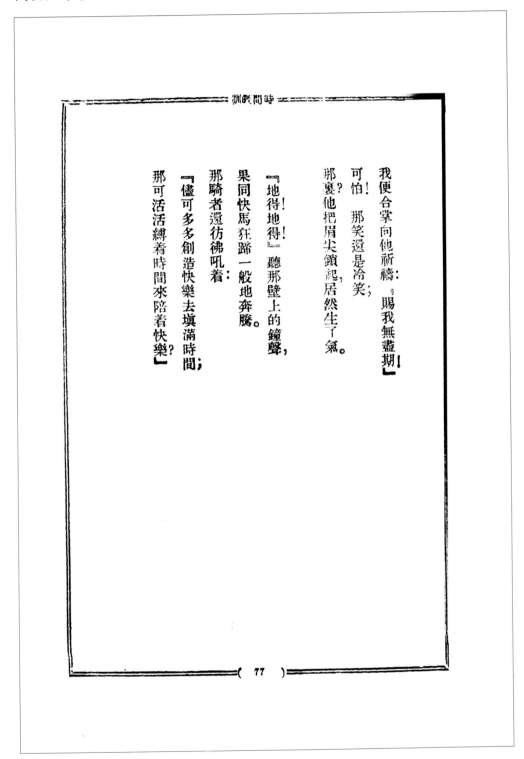

二月廬

面對一幅淡山明水的畫屏，
在一塊棋盤似的稻田邊上，
蹲着一座看棋的瓦屋——
緊緊地被捏在小山底拳心裏。

柳蔭下睡着一口方塘；
聰明的燕子——伊唱歌兒
偏找到這裏，好聽着水面的

迴聲，改正音調底錯兒。

燕子！可聽見昨夜那陣冷雨？
西風底信來了，催你快回去。
今年去了，明年後年，後年以後，
一年回一度的還是你嗎？
啊！你的爆裂得這樣音響，
迸出些什麼壓不平的古愁！
可憐的鳥兒，你訴給誰聽？
那知道這個心也碎了哦！

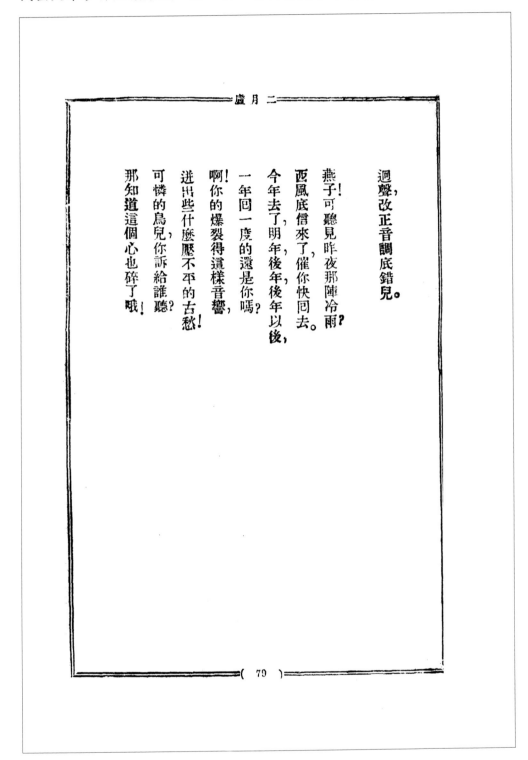

印象

一望無涯的綠茸茸的——
是青苔？是蔓草？是禾稼？是病眼發花？——
只在火車窗口像走馬燈樣旋着。
彷彿死在痛苦底海裏泅泳——
他的披毛散髮的腦袋
在噤啞無聲的綠波上飄着——
是簇簇的楊樹林攢出禾面。

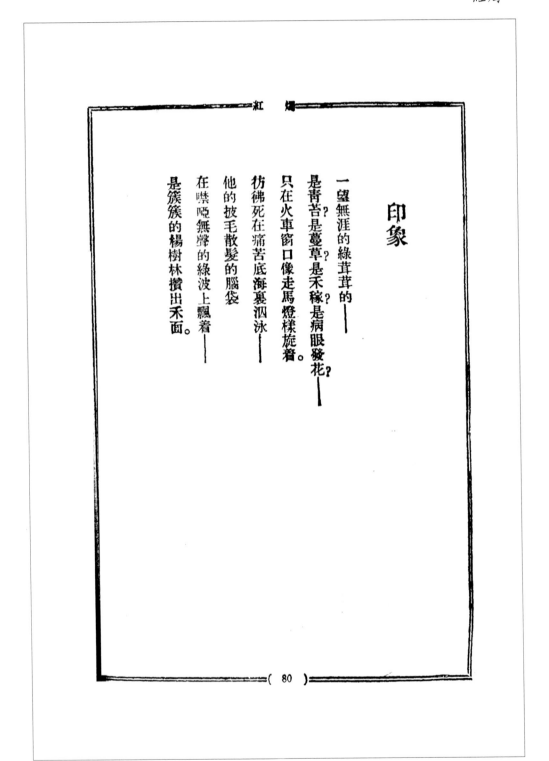

綠楊遮着作工的——神聖的工作!
騂紅的赤膊搖着枯澀的轆轤,
向地母哀求世界底一線命脈。
白楊守着休息的——無上的代價!——
孤另另的一座禿頭的黃土堆,
擁着一個安閑,快樂了無智識的靈魂,
長眠,美睡,禁止百夢底紛擾。
啊!神聖的工作!無上的代價!

快樂

快樂好比生機：
生機底消息傳到綺甸，
羣花便立刻
披起五光十色的繡裳。
快樂跟我的
靈魂接了吻，我的世界
忽變成天堂，
住滿了柔豔的安琪兒！

美與愛

窗子裏吐出嬌嫩的燈光——
兩行鵝黃染的方塊鑲在牆上；
一雙棗樹底影子，像堆大蛇，
橫七豎八地睡滿了牆下。

啊！那顆大星兒！嫦娥底侶伴！
你無端絆住了我的視線；
我的心鳥立刻停了他的春歌，

因他聽了你那無聲的天樂。

聽着，他竟不覺忘却了自已，
一心只要飛出去找你，
把監牢底鐵檻也撞斷了；
但是你忽然飛地不見了！

屋角底淒風悠悠嘆了一聲，
驚醒了嬾蛇滾了幾滾；
月色白得可怕，許是惱了？

張着大嘴的窗子又像笑了！

可憐的鳥兒，他如今囘了，
嗓子啞了，眼睛瞎了，心也灰了；
兩翅灑着滴滴的鮮血，——
是愛底代價，美底罪孽！

詩人

人們說我有些像一顆星兒，
無論怎樣光明，只好作月兒底伴，
總不若燈燭那樣有用——
還要照着世界作工，不徒是好看。

人們說春風把我吹燃，是火樣的薇花，
再吹一口，便變成了一堆死灰；
膹下的葉兒像鐵甲，刺兒像蜂針，

誰敢抱進他的赤裸的胸懷?

又有些人比我作一座遙山:
他們但願遠遠望見我的顏色,
却不相信那白雲深處裏,
還別有一個世界——一個天國。

其餘的人或說這樣,或說那樣,
只是說得對的沒有一個。
『謝謝朋友們!』我說,『不要管我了?』

「你們那樣忙，那有心思來管我？」

你們在忙中覺得熱悶時，
風兒吹來，你們無心地喝下了，
也不必問是誰送來的，
自然會覺得他來的正好！」

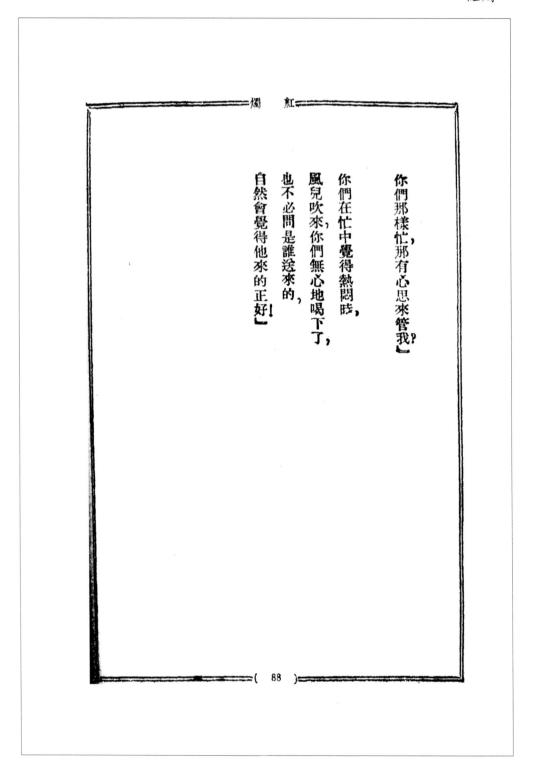

風波

我戲將沈檀焚起來祀你，
那知他會燒的這樣狂！
他雖散滿一世界底異香，
但是你的香吻沒有抹盡的
那些渣滓，却化作了雲霧
滿天，把我的兩眼障瞎了；
我看不見你，便放聲大哭，
像小孩尋不見他的媽了。

立刻你在我耳旁低聲地講！
(但你的心兒雷樣地震盪)；
「在這裏大驚小怪地鬧些什麼？
一個好教訓哦！」說完了笑着。
愛人！這戲禁不得多演；
讓你的笑焰把我的淚曬乾！

回顧

九年底清華底生活，
回頭一看——
是秋夜裏一片沙漠，
却露着一顆螢火，
越望越光明，
四圍是迷茫莫測的悽涼黑暗。
這是紅慘綠驕的暮春時節：
如今到了荷池——

寂靜底重量正壓着池水
連面皮也皺不動——
一片死動!
忽地裏靜靈退了，
鏡子碎了，
個個都喘氣了。
看!太陽底笑焰——一道金光，
濾過樹縫，灑在我額上;
如今義和替我加冕了，
——我是全宇宙底王!

幻中之邂逅

太陽落了，責任閉了眼睛，
屋裏朦朧的黑暗淒酸的寂靜，
鈎動了一種若有若無的感情，
——快樂和悲哀之間底黃昏。

彷彿一簇白雲，濛濛漠漠，
擁着一隻素氅朱冠的仙鶴——
在方才淌進的月光裏浸着，

那婷婷的模樣就是他麼？

我們都還沒吐出一絲兒聲響；
我剛才無心地碰着他的衣裳，
許多的祕密，便同奔川一樣，
從這摩觸中不歇地衝洄往來。

忽地裏我想要問他到底是誰，
抬起頭來……月在那裏？人在那裏？
從此狰獰的黑黯，咆哮的靜寂，
便邊得我輾轉空床，通夜無睡。

志願

馬路上歌嘯的人羣
汎濫橫流着，
好比一個不羈的青年底意志。

銀箔似的溪面一意地
要板平牠那難看的皺紋。
兩岸底綠楊爭着
迎接視綫到了神祕的盡頭——

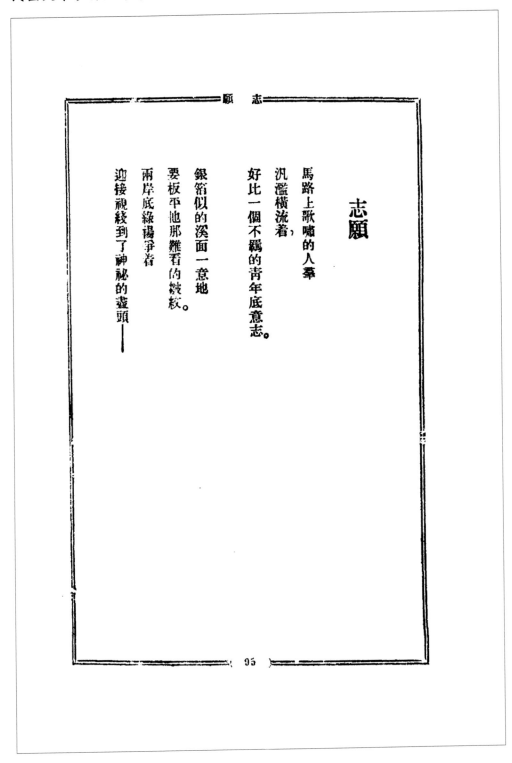

原來那裏是盡頭？
是視綫底長度不夠！

啊！主呀！我過了那道橋以後，
你將怎樣叫我消遣呢？
主啊！願這腔珊瑚似的鮮血
染得成一朶無名的野花，
這陣熱氣又化些幽香給他，
好攢進些路人底心裏烘着罷！

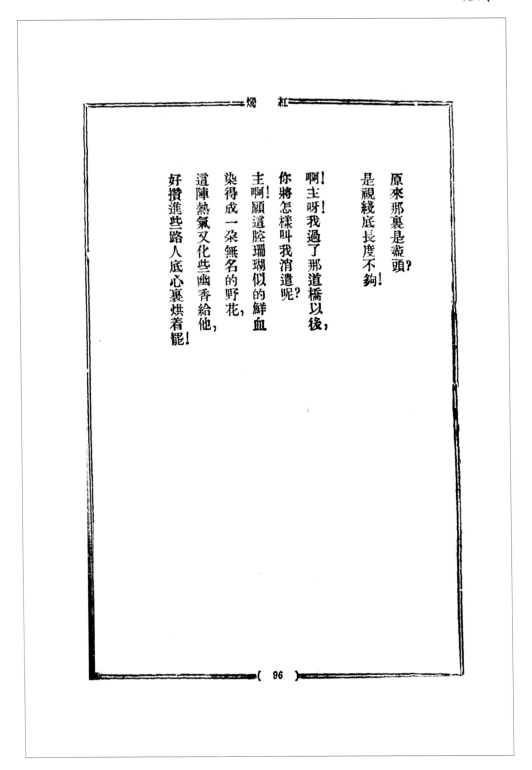

只要這樣，切莫又賞給我
這一副腥穢的軀殼：
主呀！你許我嗎？許了我罷！

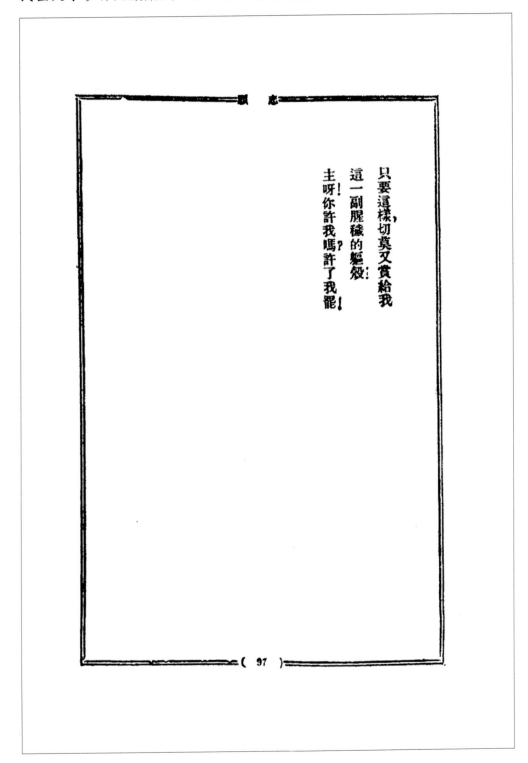

失敗

從前我養了一盆寶貴的花兒，
好容易孕了一個苞子，
但總是半含半吐的不肯放開。
我等發了急，硬把他剝開了，
他便一天萎似一天，一天萎得不像樣了。
如今我要他再闔上不能了。
我到底沒有看見我要看的花兒！

從前我做了一個稀奇的夢，

我總嫌他有些太模糊了，
我滿不介意讓他震破了；
我醒了，直等到月落，等到天明，
重織一個新夢既織不成，
便是那個舊的也補不起來了。
我到底沒有做好我要做的夢！

貢臣

我的王！我從遠方來朝你
帶了滿船你不認識的，
但是你必中意的貢禮。
我與高采烈地航到這裏來，
那裏知道你的心……唉！
還是一個涸了的海港！
我悄悄地等着你的愛潮澎漲，
好浮進我的重載的船艘；

月兒圓了幾周，花兒紅了幾度，
還是老等，等不來你的潮頭！
我的王！他們講潮汐有信，
如今敎我怎樣相信他呢？

遊戲之禍

我酌上蜜酒，燒起沈檀，
遊戲着膜拜你：
沈檀燒地太枉了，
我忙着拿密酒來澆他；
誰知越澆越烈，
竟惹了焚身之禍呢！

花兒開過了

花兒開過了，果子結完了；
一春底香雨被一夏底驕陽炙乾了，
一夏底榮華被一秋底饞風掃盡了。
如今敗葉枯枝便是你的餘剩了。

天寒風緊，凍啞了我的心琴；
我慣唱的頌歌如今竟唱不成。
但是，且莫傷心，我的愛，

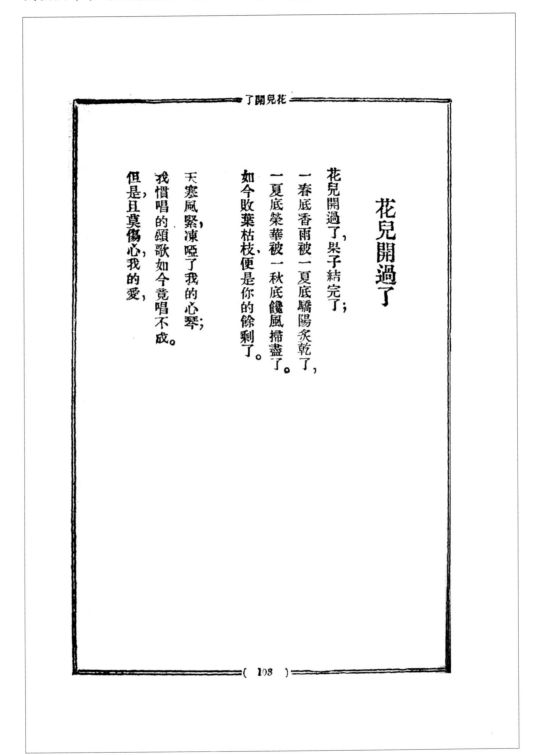

琴弦雖不鳴了，音樂依然在。

只要靈魂不滅，記憶不死，縱使
你的榮華永逝(這原是沒有的事)
我敢說那已消的春夢底餘痕，
還永遠是你我的生命底生命」

況且永繼的榮華，頃刻的凋落——
兩兩相形，又算得了些什麼？
今冬底假眠，也不過是明春底

更烈的生命所必需的休息。

所以不怕花殘，果爛，葉敗，枝空，
那縝密的愛底根網總沒一刻放鬆；
他總是絆着，抓着，皺着我的心，
要他抽盡我的生命供給你的生命！

愛啊！上帝不曾因靑春底暫退，
就要將這個世界一齊搗毀，
我也不曾因你的花兒暫謝，
就敢失望，想另種一朶來代他！

十一年一月二日作

哎呀！自然底太失管教的驕子！
你那內蘊的靈火，不是地獄底毒火，
如今已經燒得太狂了，
只怕有一天要爆裂了你的軀殼。

你那被愛蜜餞了的肥心，人們講，
本是為滋養些嬉笑的花兒的，
如今卻長滿了愁苦底荊棘——

他的根已將你的心越細越緊越纏越密。
上帝啊！這到底是什麼用意？

唉！你(只有你)眞正了解生活底祕密，
你眞是生活底唯一的知己，
但生活對你偏是那樣地凶殘：
你看！又是一個新年——好可怕的新年！——
張着牙戟齒鋸的大嘴招呼你上前；
你退既不能，進又白白地往死嘴裏攢！

11.1.2 作

高步遠蹠的命運
從時間底沒究竟的大道上踱過；
我們無足輕重的蟻子
糊裏糊塗地忙來忙去，不知爲什麼，
忽地裏就斷送在他的脚跟底……

但是，那也對啊！……死！你要來就快來，
快來斷送了這無邊的痛苦！
哈哈！死，你的殘忍，乃在我要你時，你不來，
如同生，我不要他時，他偏存在！

死

啊!我的靈魂底靈魂!
我的生命底生命,
我一生底失敗,一生底虧欠,
如今要都在你身上補足追償,
但是我有什麼
可以求於你的呢?

讓我淹死在你眼睛底汪波裏!

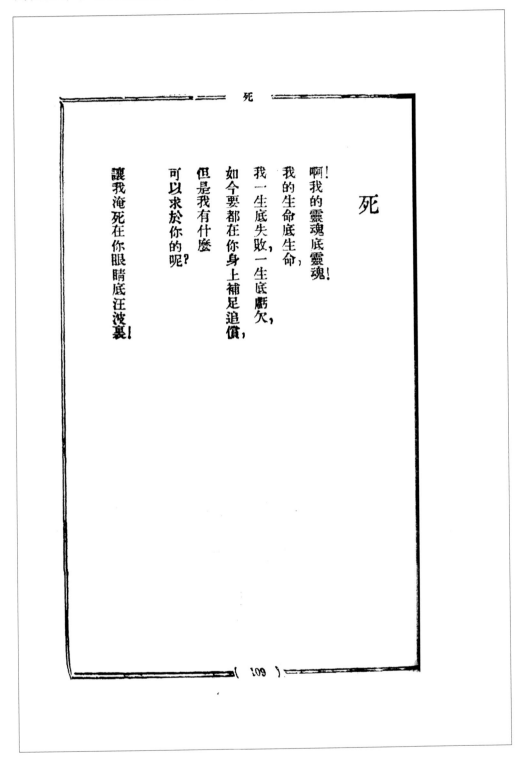

讓我燒死在你心房底鎔鑪裏！
讓我醉死在你音樂底瓊醪裏！
讓我悶死在你呼吸底馥郁裏！
不然，就讓你的尊嚴羞死我！
讓你的酷冷凍死我！
讓你那無情的牙齒齩死我！
讓那寡恩的毒劍螫死我！

你若賞給我快樂，

我就快樂死了；
你若賜給我痛苦，
我也痛苦死了；
死是我對你唯一的要求，
死是我對你無上的貢獻。

深夜底淚

生波停了掀簸；
深夜啊！——
沈默的寒潭！
澈虛的古鏡！

行人啊！
回轉頭來，
照照你的顏容罷！

啊！這般顚頓……
輕柔的淚，
溫熱的淚，
洗得淨這僕僕的征塵？
無端地一滴滴流到唇邊，
想是要你嘗嘗他的滋味；
這便是生活底滋味！
枕兒啊！

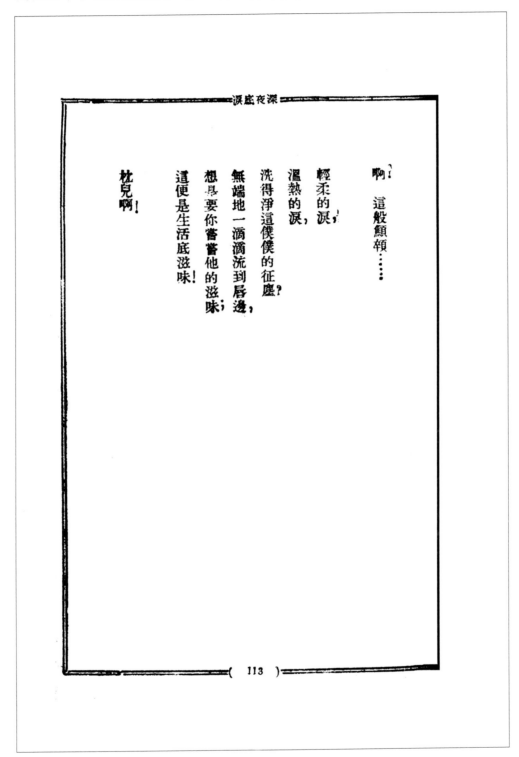

緊緊地貼着！
請你也嘗嘗他的滋味。
唉！若不是你，
這腐爛的骷髏，
往那裏靠啊！

更鼓啊！
一聲聲這般急切；
便是生活底戰鼓罷？
唉！擂斷了心絃，

攪亂了生波……

戰也是死，
逃也是死，
降了我不甘心。
生活啊！
你可有個究竟？

啊！宇宙底生命之酒，
都將酌進上帝底金樽。

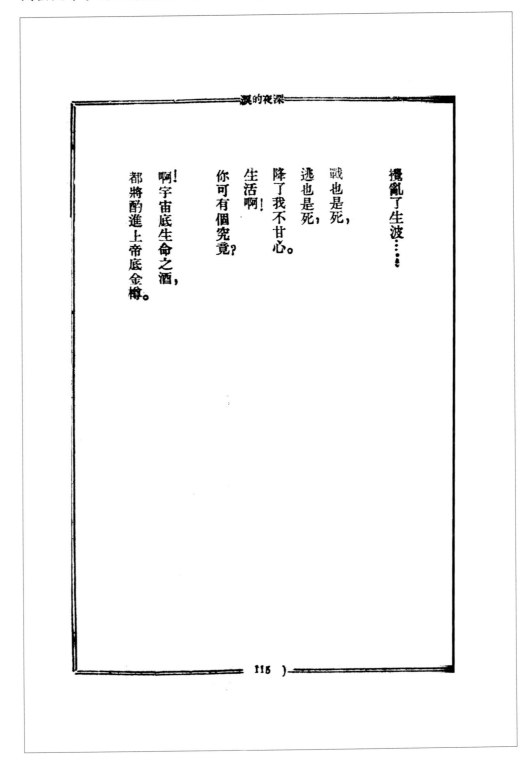

不幸的浮漚！
怎地偏酌漏了你呢？

青春篇

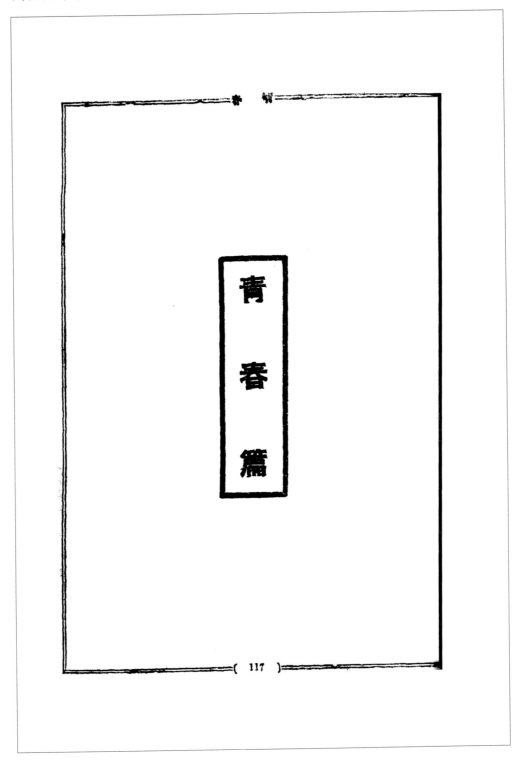

「柳暗花明又一村」

——陸游——

青春

青春像隻唱着歌的鳥兒，
已從殘冬窟裏闖出來，
駛入寶藍的穹窿裏去了。

神祕的生命，
在綠嫩的樹皮裏澎漲着，
快要迸出帶着鞘子的，
翡翠的芽兒來了。

詩人呵！揩乾你的冰淚，
快預備着你的歌兒，
也讚美你的甦生罷！

宇宙

宇宙是個監獄，
但是個模範監獄；
他的目的在革新，
並不在懲奮。

國手

愛人啊！你是個國手；
我們來下一盤棋；
我的目的不是要贏你，
但只求輸給你——
將我的靈和肉
輸得乾乾淨淨！

香篆

輾轉在眼簾前，
縈迴在鼻觀裏，
鎚旋在心窩頭——

心愛的人兒啊！
這樣淸幽的香，
只堪供祝神聖的你：

我祝你黛髮長青！
又祝你朱顏長姣！
同我們的愛萬壽無疆！

春寒

春啊！
正似美人一般，
無妨瘦一點兒！

春之首章

浴人靈魂的雨過了：
薄泥到處醫人底鞋底。
涼颸挾着溼潤的土氣
在鼻薹間正衝突着。
金魚兒今天許不大怕冷了？
個個都敢於浮上來呢！

東風苦勸執拗的蒲根，
將才睡醒的芽兒放了出來。
春雨過了，芽兒剛抽到寸長，
又被池水偷着呑去了。

亭子角上幾根瘦硬的，
還沒趕上春的榆枝，
印在魚鱗似的天上；
像一頁淡藍的朵雲箋，
上面塗了些僧懷素底

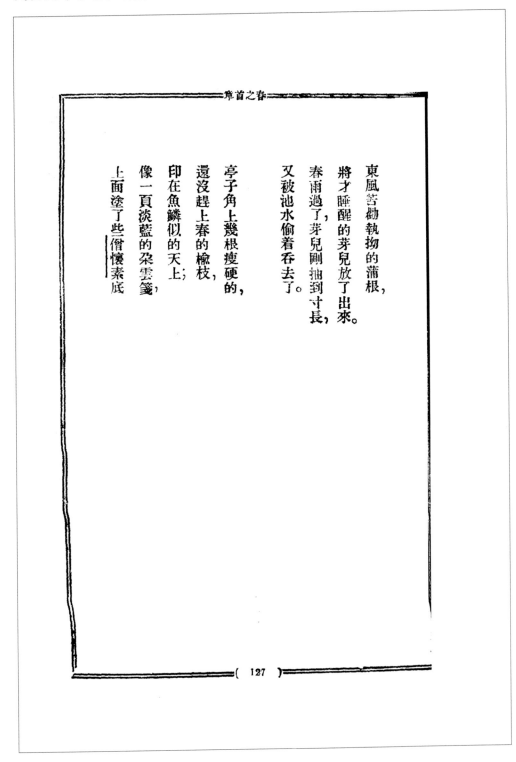

鐵畫銀鉤的草書。
丁香枝上豆大的蓓蕾，
包滿了包不住的生意，
呆呆地望着寥闊的天宇，
盤算他明日底榮華——
彷彿一個出神的詩人
在空中編織未成的詩句。
春啊！明顯的祕密喲！
神聖的魔術喲！

啊！我忘了我自己，春啊！
我要提起我全身底力氣，
在你那絕妙的文章上
加進這醜笨的一句喲！

春之末章

被風惹惱了的粉蝶，
試了好幾處底枝頭，
總抱不大穩，率性就捨開，
忽地不知飛向那裏去了。
啊！大哲底夢身啊！
了無黏滯的達觀者喲！

太輕狂了哦！楊花！

依然吩咐兩絲黏住罷。

嫩綠的坦張的荷錢啊！
不息地仰面朝上帝望着，
一心地默禱並且讚美他——
只要這樣，總是這樣，
開花結實底日子便快了。

一氣的酣綠裏忽露出
一角漢紋式的小紅橋，

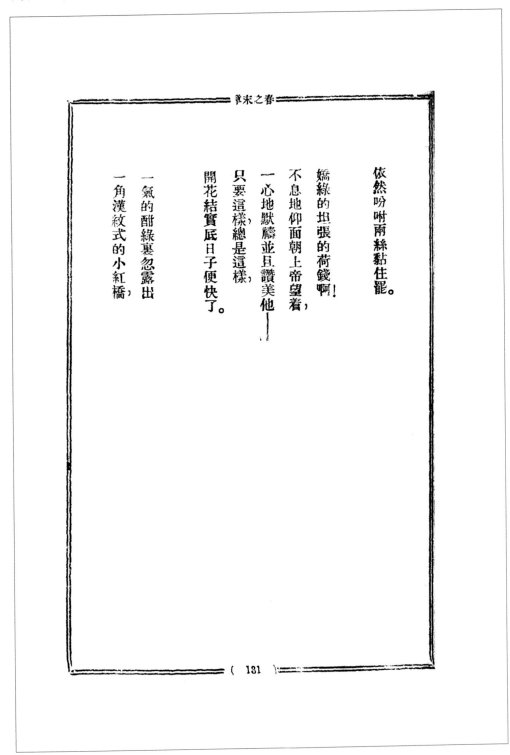

眞紅得快叫出來了!

小孩兒們也太好玩了啊!
鎭日裏藍的白的衫子
騎滿竹靑石欄上垂釣。
他們的笑聲有時竟脆得像
坍碎了一座琉璨寶塔一般。
小孩們總是這樣好玩呢!
綠紗窗裏篩出的琴聲,
又是畫家腦子裏經營着的

一幀美人春睡圖：
細熨的柔情嬌羞的倦致，
這般如此忽即忽離，
啊！迷魂的律呂啊！

音樂家啊！垂釣的小孩啊！
我讀完這春之寶笈底末章，
就交給你們永遠管領着罷！

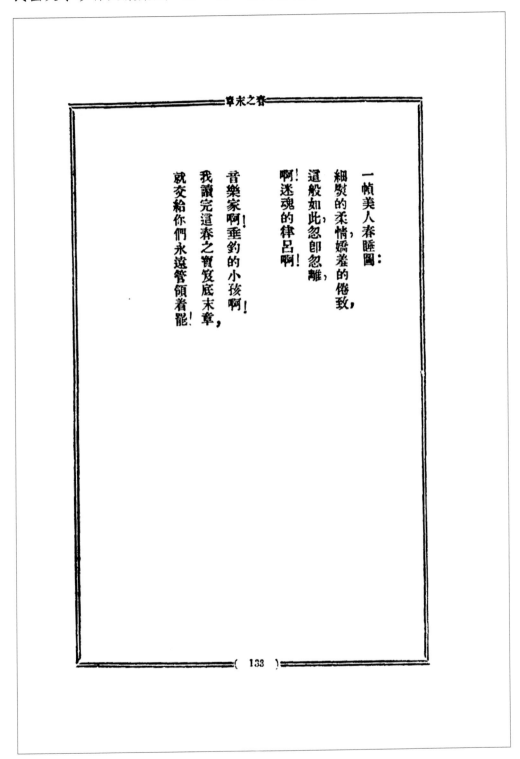

鐘聲

鐘聲報得這樣急——
時間之海底記水標哦!
是記漲呢,還是記落呢!——
是報過去底添長呢?
還是報未來底消縮呢?

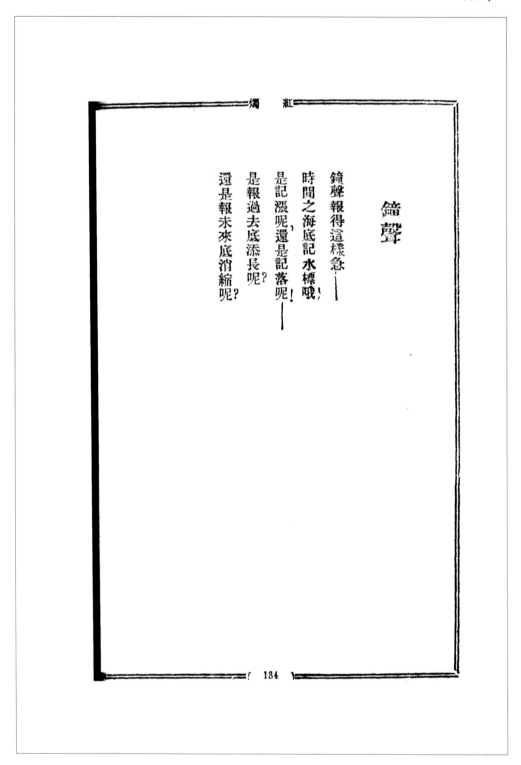

愛之神

——題畫——

啊！這麼俊的一副眼睛——
兩潭淵默的清波！
可憐孱弱的游泳者喲！
我告訴你回頭就是岸了！
啊！那潭岸上的一帶榛藪，
好分明的黛眉啊！

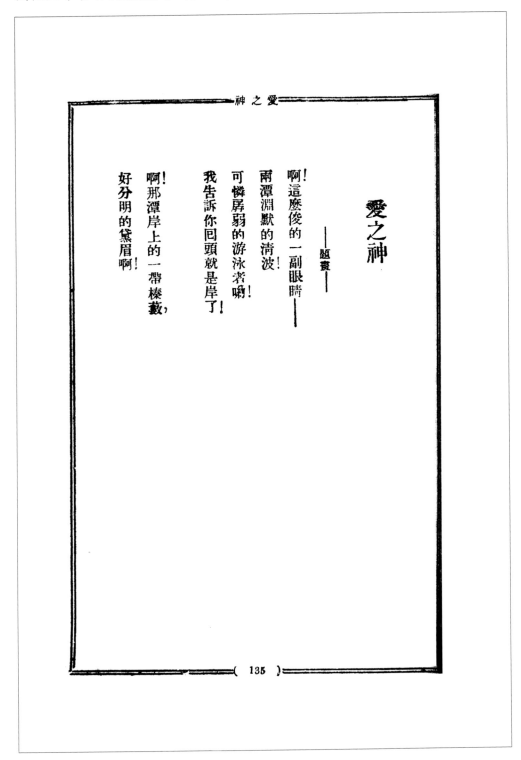

那鼻子，金字塔式的小邱，
恐怕就是情人底塋墓罷？

那裏，不是兩扇朱扉嗎？
紅得像櫻桃一樣，
扉內還露着編貝底屏風。
這裏又不知安了什麼陷阱！

啊！莫非是綺甸之樂園？
還是美底家宅，愛底祭壇？

呸！不，是，都不是哦！
是死魔盤據着的一座迷宮！

謝罪以後

朋友，怎樣開始？這般結局？
『誰實爲之？』是我情願，是你心許？
朋友，開始結局之間，
演了一齣浪漫的悲劇；
如今戲既演完了，
便將那一頁撕了下去，
還賸下了一部歷史，
恐十倍地莊嚴，百般地豐富，——

是更生底靈劑樂園底基礎！

朋友！讓舞台上的經驗短短長長，
是恩愛，是仇讎，盡付與時間底遊浪。
若教已放下來的繡幕，
永作隔斷記憶底城牆；
台上的記憶儘可隔斷，
但還有一篇未成的文章，
是在登台以前開始作的。
朋友！爲什麼不讓他繼續添長，

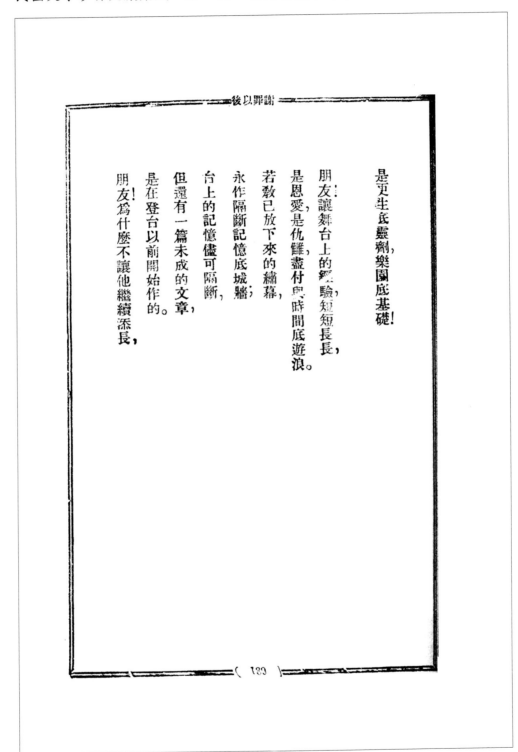

完成一件整的藝術品？你試想想！

朋友！我們來勉强把悲傷葬着，
讓我們的胸膛做了他的墳墓；
讓懺悔蒸成溼霧，
糊溼了我們的眼睛也可；
但切莫把我們的心，
冷的變成石頭一個，
讓可怕的矜驕底刀子
在他上面磨成一面的鋒，兩面的鍔。
朋友知道成鋒的刀有個代價麼？

懺悔

啊！浪漫的生活啊！
是寫在水面上的個『愛』字，
一壁寫着，一壁沒了；
白攪動些痛苦底波輪。

黃鳥

哦！森林底奓子，
太空的血胤
不知名的野鳥兒啊！

黑緞底頭帕，
蜜黃的羽衣，
鑲着赤銅底喙爪——
啊！一隻鮮明的火鏃，

那樣癲狂地射放，
　射翻了肅靜的天宇哦！

像一塊雕鏤的水晶，
藝術縱未完成，
却永映着上天底光彩——
這樣便是他吐出的
那闋雅健的音樂呀！
啊！希臘式的雅健！

野心的鳥兒啊！
我知道你喉嚨裏的
太豐富的歌兒
快要脹死你了：
但是從容些吐着！
吐出那水晶的諧音，
造成藝術之宮，
讓一個失路的靈魂
早安了家罷！

藝術底忠臣

無數的人臣，髣髴眞珠
攢在藝術之王底龍袞上，
一心同讚御容底光釆；
其中只有濟慈一個人
是顆龍拱抱的一顆火珠，
光芒賽過一切的珠子。

詩人底詩人啊！

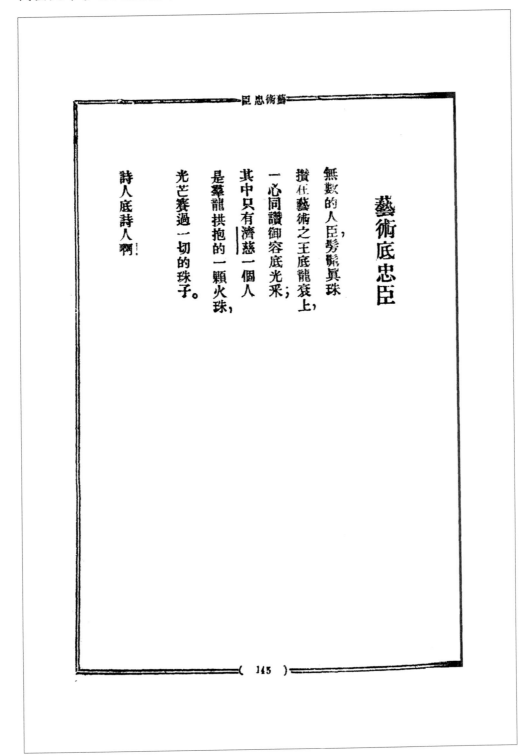

滿朝底冠蓋只算得
些藝術底名臣，
只有你一人是個忠臣。
『美郎是眞，眞郎美。』
我知道你那棟樑之材，
是單給這個眞命天子用的；
別的分疆割據，屬國偏安，
那裏配得起你喲！
啊！『鞠躬盡瘁，死而後已：』

眞個做了藝術底殉身者！
忠烈的亡魂啊！
你的名字沒寫在水上，
但鑄在聖朝底寶鼎上了！

（註）水上見濟慈底 "Ode to a grecian urn"
濟慈自撰的墓銘曰：『這兒有一個人底名子寫在水上了！』

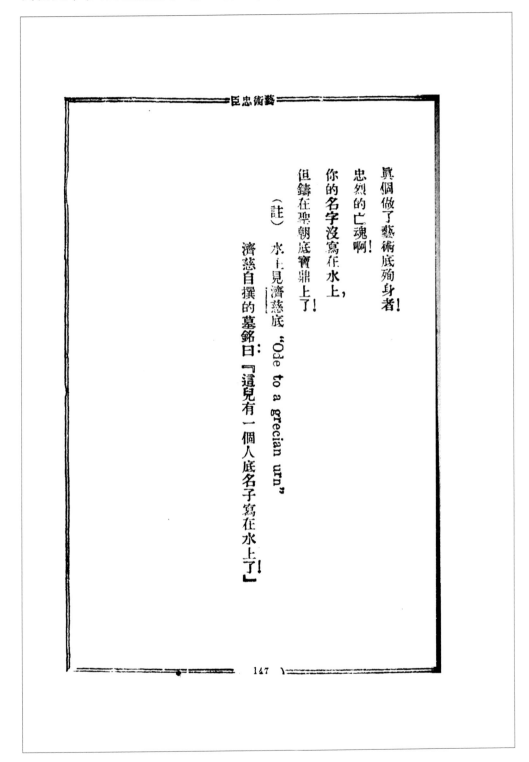

初夏一夜底印象

——一九二二年五月直奉戰爭時——

夕陽將詩人交付給煩悶的夜了，
叮嚀道：「把你的秘密都吐給他了罷！」
紫穹窿下灑着些碎了的珠子——
詩人想該穿成一串挂在死底胸前。
陰風底冷爪子剛扒過餓柳底枯髮，

又將池裏的燈影兒扭成幾道金蛇。

帖在山腰下佝僂得可怕的老柏，
擎着黑瘦的拳頭硬和太空挑釁。

失睡的蛙們此刻應該有些倦意了，
但依舊努力地叫着水國底軍歌。

個個都吠得這般沉痛，村狗啊！
爲什麼總罵不破盜賊底胆子？

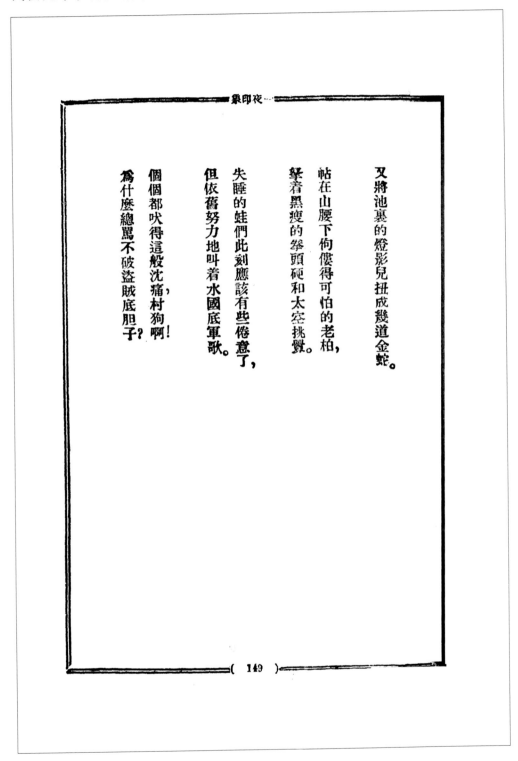

嚼火漱霧的毒龍在鐵梯上爬着，
馱着灰色號衣的戰爭吼的要哭了。
銅舌的報更的聲，
聲聲安慰世界，
請他放心睡去，……世界那肯信他哦！
上帝啊！眼看着宇宙蹧蹋到這樣，
可也有些寒心嗎？仁慈的上帝喲！

詩債

小小的輕圓的詩句，
是些當一的制錢——
在情人底國中
貿易死亡底通寶。
愛啊！慷慨的債主啊！
不等我償淸詩債

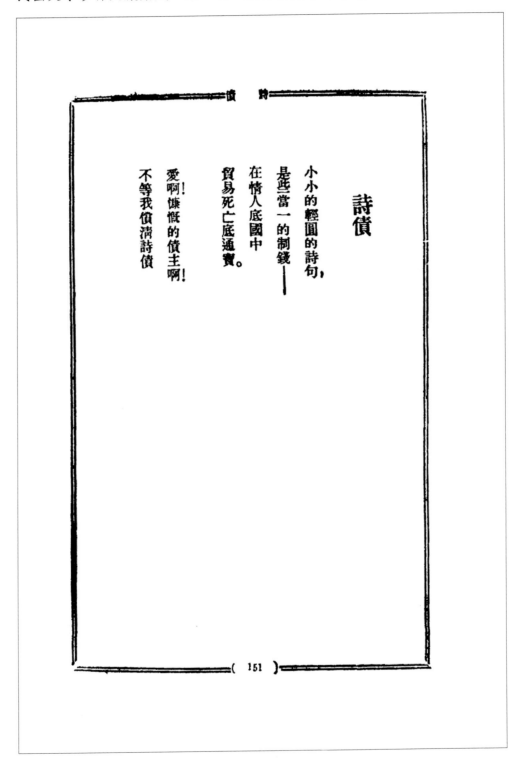

就這麼匆忙地去了，
怎樣也挽留不住。
但是字串還沒毀喲！
這永欠的本錢，
仍然在我賬本上，
息上添息地繁衍。
若有一天你又回來，
愛啊！要做 Shylock 嗎？

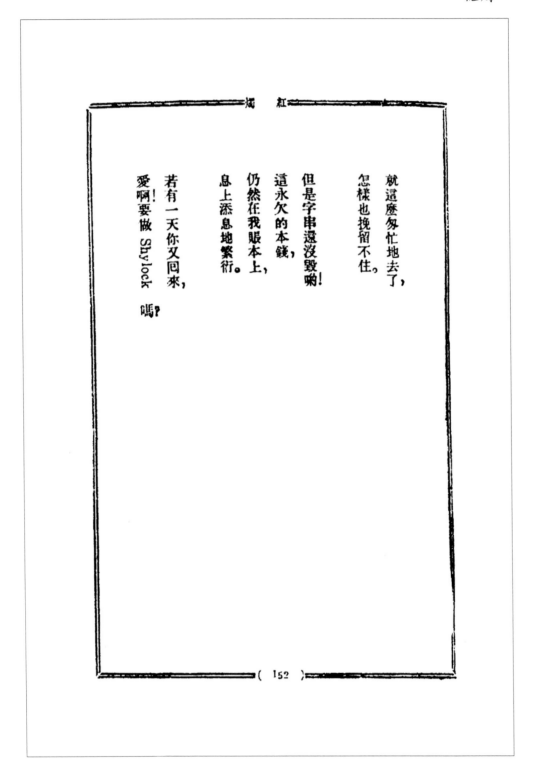

就把我心上的肉，
和心一起割給你罷！

紅荷之魂 有序

盆蓮飲雨初放，折了幾枝，供在案頭，又聽姪輩讀周茂叔底愛蓮說，便不得不聯想及於三千里外荷花池畔底詩人。賦此寄呈實秋，兼上景超及其他在西山的諸友。

太華玉井底神裔啊！
不必在污泥裏久戀了。
這玉膽瓶裏的寒漿有些冽骨嗎？
那原是沒有墮世的山泉哪！

高賢底文章啊！雛鳳底律呂啊！
往古來今竟攜了手來諛媚着你。
來罷！聽聽這蜜甜的讚美詩罷！
抱霞搖玉的仙花呀！
看着你的軀體，
我怎不想到你的靈魂？
靈魂啊！到底又是誰呢？
是千葉寶座上的如來，
還是丈餘紅瓣中的太乙呢？

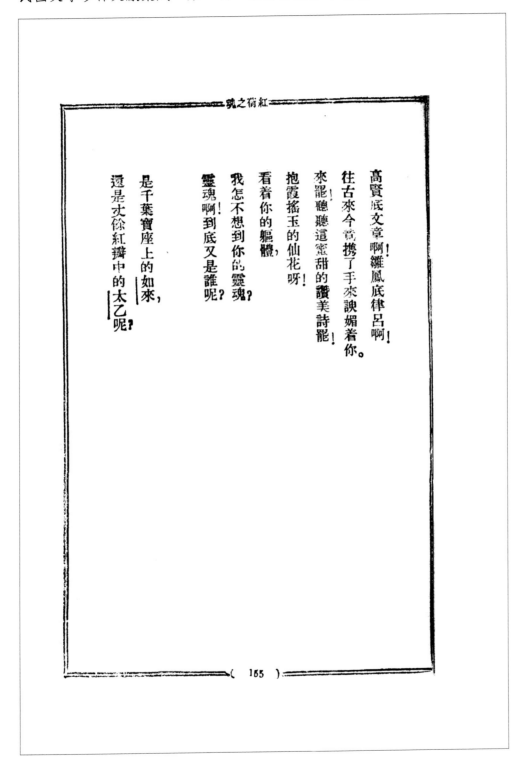

是五老峯前的詩人，
還是洞庭湖畔的騷客呢？
紅荷底魂啊！
愛美的詩人啊！
便稍許豔一點兒，
還不失爲「君子。」
看那顆顆坦張的荷錢啊！
可敬的——向上底虔誠，
可愛的——圓滿底個性。

花魂啊！佑他們充分地發育罷！

花魂啊，
須隄防着，
不要讓菱芡藻荇底勢力
蠶食了澤國底版圖。

花魂啊！
要將崎嶇的動底煙波，
織成燦爛的靜底綉錦。

然後，
高蹈的鷗鷺啊！
熱情的鴛鴦啊！
水國煙鄉底顧客們啊！……
只歡迎你們來
逍遙着，偃臥着；
因爲你們知道了
你們的義務。

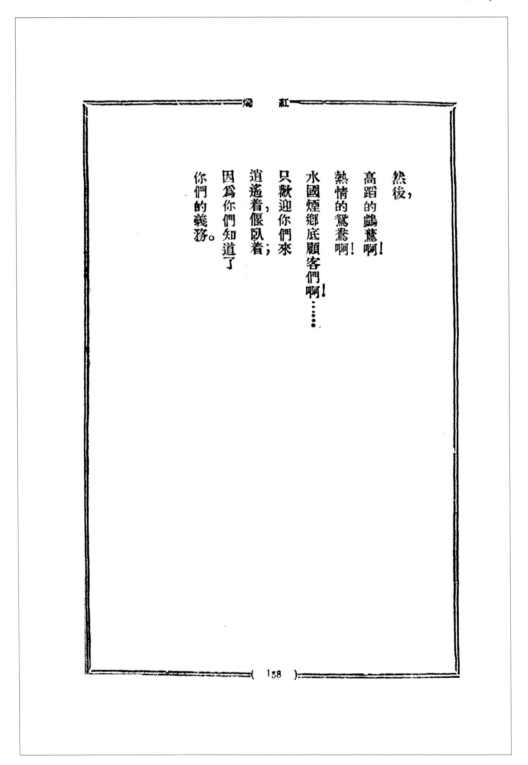

別後

啊！那不速的香胳，
沒關心的柔詞……
啊！熱情獻來的一切的贊禮，
當時都大意地拋棄了，
於今卻變作記憶底乾糧，
來充這旅途底饑餓。

可是，有時同樣的餽儀，

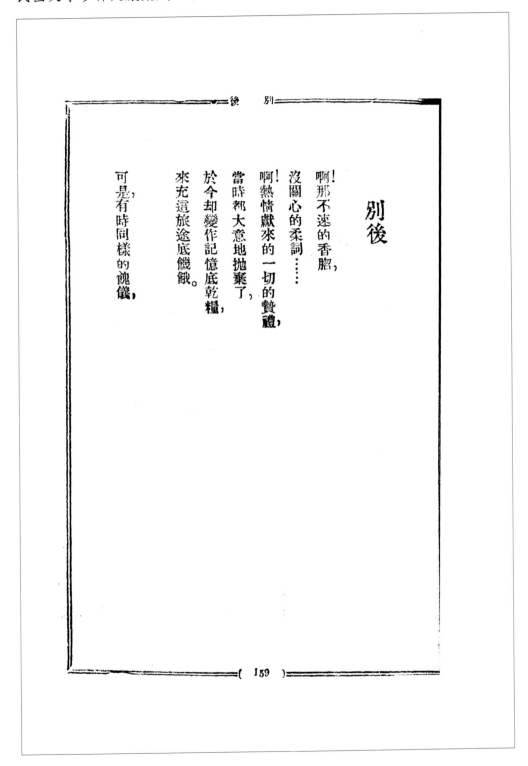

當時珍重地接待了，撫寵了；
反在記憶之領土裏
剗下了生憎惹厭的痕跡。

啊！誰道不是變幻呢？
頃刻之間，熱情與冷淡，
已經百度底乘除了。

誰道不是矛盾呢？
一般的香胳，一樣的柔詞，

才冷殭了骨髓，
又燒焦了纖維。
惡作劇的瘧魔呀！
到底是誰遣你來的？
你在這一隙駒光之間，
竟敎我更迭地
作了冰炭底化身！
惡作劇的瘧魘喲！

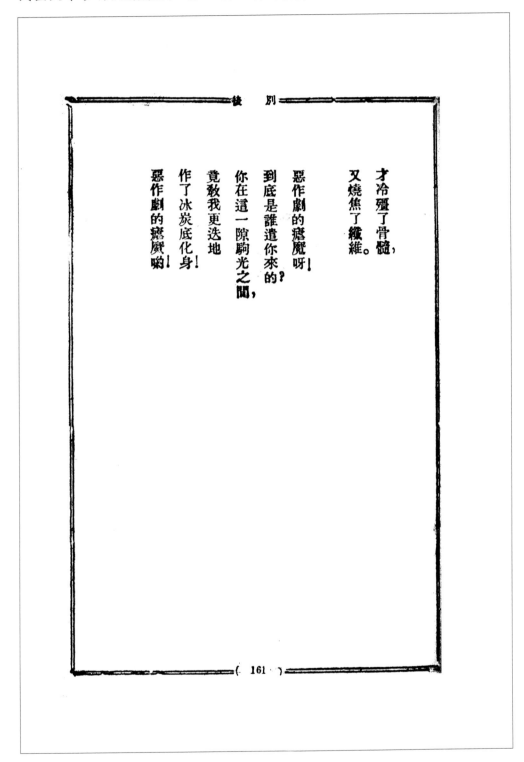

孤雁篇

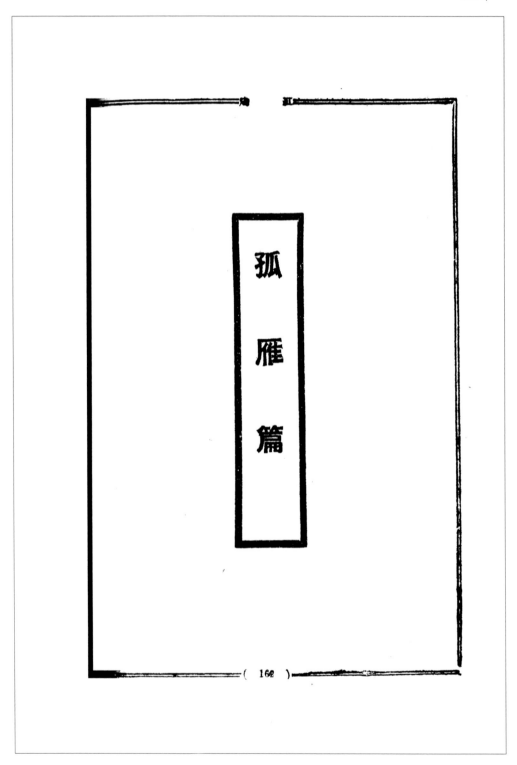

「天涯涕淚一身遙」
——杜甫——

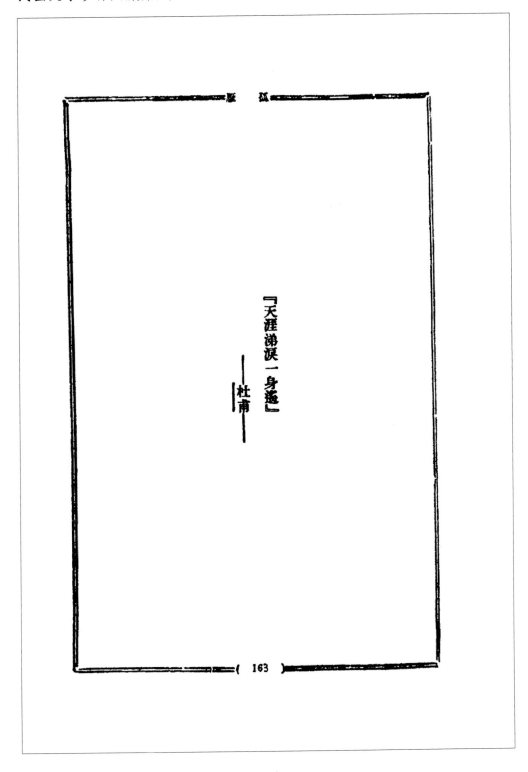

孤鴈

不幸的失羣的孤客！
誰敎你抛棄了舊侶，
拆散了陣字，
流落到這水國底絕塞，
拼着寸磔的愁腸，
泣訴那無邊的酸楚？

啊！從那浮雲底密幕裏，

迸出這樣的哀音
這樣的痛苦！這樣的熱情！

孤寂的流落者！
不須叫喊得喲！
你那沉細的音波，
在這大海底驚雷裏，
還不值得那濤頭上
濺破的一粒浮漚呢！

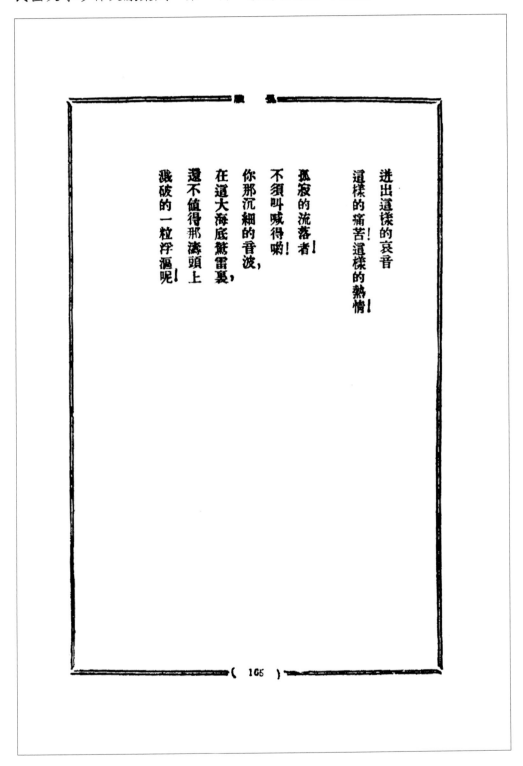

可憐的孤魂啊！
更不須向天廻首了。
天是一個無涯的秘密，
一幅藍色的謎語，
太難了，不是你能猜破的。
也不須向海低頭了。
這辱駡高天的惡漢，
他的鹹滷的唾沫
不要漬濕了你的翅膀，
黏滯了你的行程！

流落的孤禽啊!
到底飛往那裏去呢?
那太平洋底彼岸,
可知道究竟有些什麼?

啊!那裏是蒼鷹底領土——
那鷙悍的霸王啊!
他的銳利的指爪,
已撕破了自然底面目,
建築起財力底窩巢。

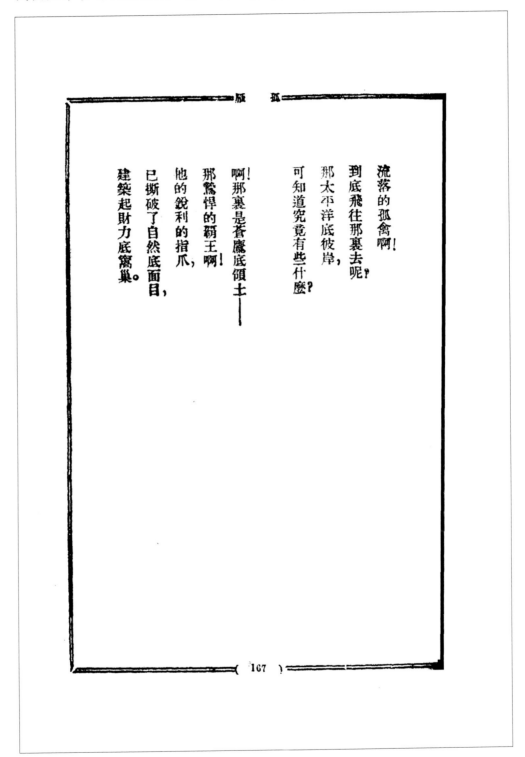

那裏只有銅筋鐵骨的機械，
喝醉了弱者底鮮血，
吐出些罪惡底黑煙，
塗汚我太空，閉熄了日月，
教你飛來不知方向，
息去又沒地藏身啊！

流落的失羣者啊！
到底要往那裏去？
隨陽的鳥啊！

光明底追逐者啊！
不信那腥臊的屠場，
黑黯的烟灶，
覺能吸引你的踪跡！

歸來罷，失路的遊魂！
歸來參加你的伴侶，
補足他們的陣列！
他們正引着頸望你呢。

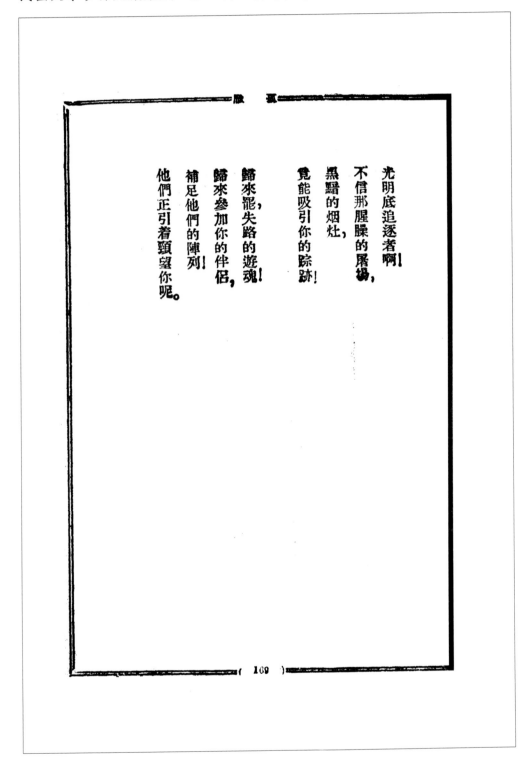

歸來偃臥在霜染的蘆林裏，
那裏有校獵的西風，
將茸毛似的蘆花，
鋪就了你的床褥
來溫暖起你的甜夢。

歸來浮游在溫柔的港溆裏，
那裏方是你的浴盆。
歸來徘徊在浪舐的平沙上，
趁着溶銀的月色，

婆娑着戲弄你的幽影。

歸來罷，流落的孤禽！
與其儘在這水國底絕塞，
拚着寸磔的愁腸，
泣訴那無邊的酸楚，
不如櫂翅迴身歸去罷！

啊！但是這不由分說的狂飆
挾着我不息地前進；

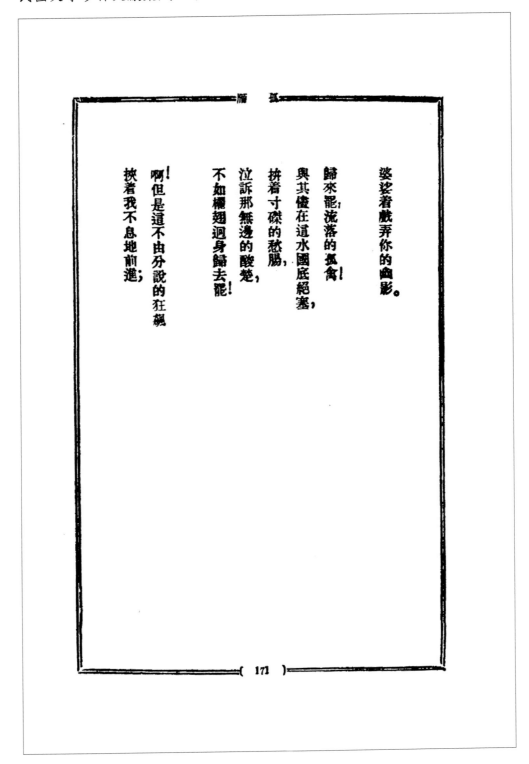

我脚上又帶着了一封書信，
我怎能拋却我的使命，
由着我的心性，
週身擢翅歸去來呢？

太平洋舟中見一明星

鮮豔的明星哪！——
太陰底嫡裔，
月兒同胞的小妹——
你是天仙吐出的玉唾，
濺在天邊？
還是鮫人泣出的明珠，
被海濤淘起？

哦！我這被單調的浪聲
搖睡了的靈魂，
昏昏睡了這麼久，
畢竟被你喚醒了哦，
燦爛的寶燈啊！
我在昏沈的夢中，
你將我喚醒了，
我才知道我已離了故鄉，
貶斥在情愛底滲微之外，——
飄簸在海濤上的一枚鈎餌。

你又喚醒了我的大夢——
夢外包着的一層夢！
生活呀！蒼茫的生活呀！
也是波濤險阻的大海喲！
是情人底眼淚底波濤，
是壯士底血液底波濤。
鮮豔的星，光明底結晶啊！
生命之海中底燈塔！
照着我罷？照着我罷！
不要讓我碰了礁灘！

不要許我越了航線；
我自要加進我的一勺溫淚，
致這淚海更鹹；
我自要傾出我的一腔熱血，
致這血濤更鮮！

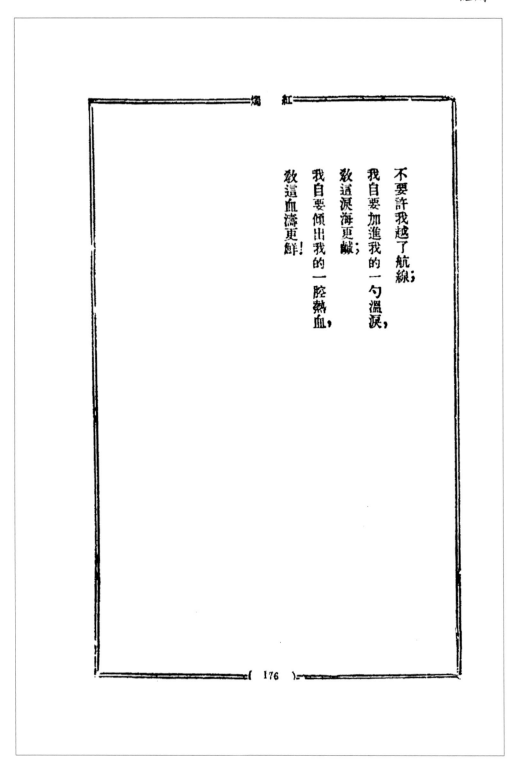

火柴

這裏都是君王底
櫻桃艷嘴的小歌童：
有的唱出一顆燦爛的明星，
唱不出的，都拆成兩片枯骨。

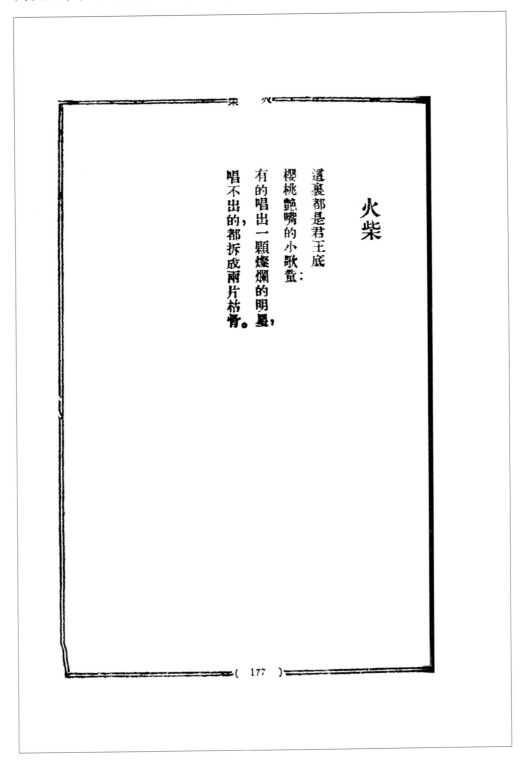

玄思

在黃昏底沈默裏，
從我這荒涼的腦子裏，
常迸出些古怪的思想，
不倫不類的思想；
彷彿從一座古寺前的
塵封雨漬的鐘樓裏，
飛出一陣猜怯的蝙蝠，

非禽非獸的小怪物。
同野心的蝙蝠一樣，
我的思想不肯只爬在地上，
却老在天空裏兜圈子，
圓的，扁的，種種的圈子。
我這荒涼的腦子
在黃昏底沈默裏，
常迸出些古怪的思想，
彷彿同些蝙蝠一樣。

我是一個流囚

我是個年壯力强的流囚，
我不知道我犯的是什麼罪。

黃昏時候，
他們把我推出門外了，
幸福底朱扉已向我關上了，
金甲紫面的門神
舉起寶劍來逐我；

我只得闖進縝密的黑暗，
犂着我的道路往前走。

忽地一座壯閣底飛簷，
像隻大鵬底翅子，
插在浮漚密布的天海上：
卍字格的窗櫺裏
瀉出醺人的燈光，黃酒一般地釅；
哀宕淫熱的笙歌，
被激憤的檀板催窘了，

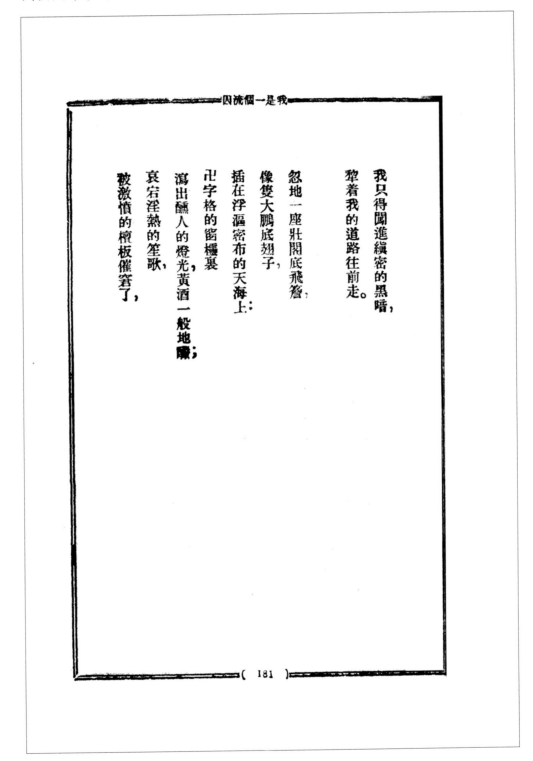

螺旋似地鑚進我的心房：
我的身子不覺輕去一半，
彷彿在那孔雀屏前跳舞了。

啊快樂——嚴懍的快樂——
抽出他的譏誚底銀刀，
把我刺醒了；
哎呀！我才知道——
我是快樂底罪人，
幸福之宮裏逐出的流囚，

怎能在這裏隨便打圈呢?
走罷!再走上那沒盡頭的黑道罷!
唉!但是我受傷太厲害;
我的步子漸漸遲重了;
我的鮮紅的生命,
漸漸染了[illegible]下的枯草!
我是個年壯力强的流囚,
我不知道我犯的是什麼罪。

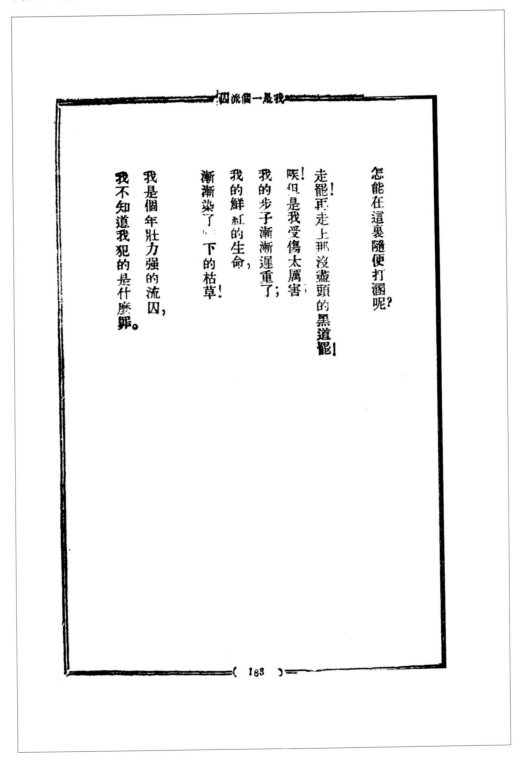

寄懷實秋

淚繩細住的紅燭
已被海風吹熄了；
跟着有一縷猶疑的輕煙，
左顧右盼，
不知往那裏去好。
啊！解體的靈魂喲！
失路底悲哀喲！

在黑暗底嚴城裏，
恐怖方施行他的高壓政策：
詩人底屍肉在那裏倉黃着，
彷彿一隻喪家之犬呢。
蓬蕊間酣睡着的戀人啊！
不要滅了你的紗燈。
幾時珠箔銀條飄着過來，
可要借給我點燃我的殘燭，
好在這陰城裏面，
爲我照出一條道路。

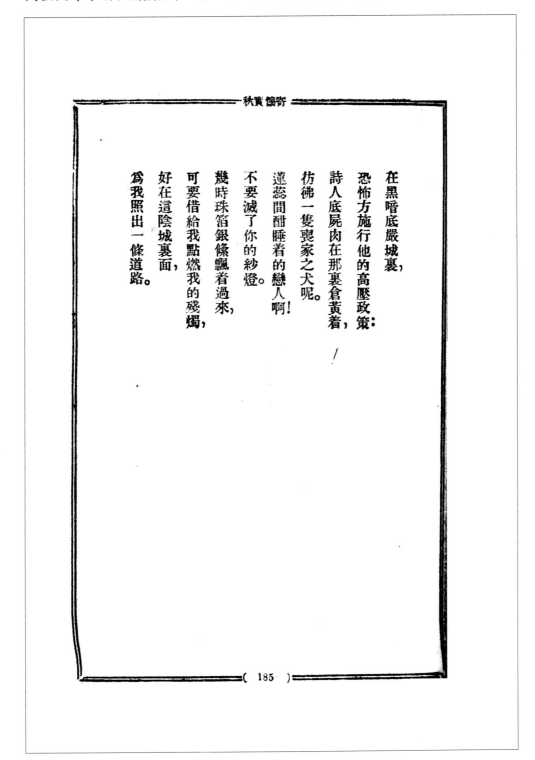

燭又點燃了，
那時我便作個自然的流螢，
在深更底風露裏，
還可以逍遙流蕩着，
直到黎明！

蓮蕊間酣睡着的騷人啊！
小心那成羣打圍的飛蛾，
不要滅了你的紗燈哦！

晴朝

一個遲笨的晴朝，
比年還現長得多，
像條懶洋洋的凍蛇，
從我的窗前爬過。

一陣淡青的煙雲
偷着跨進了街心……
對面的一帶朱樓

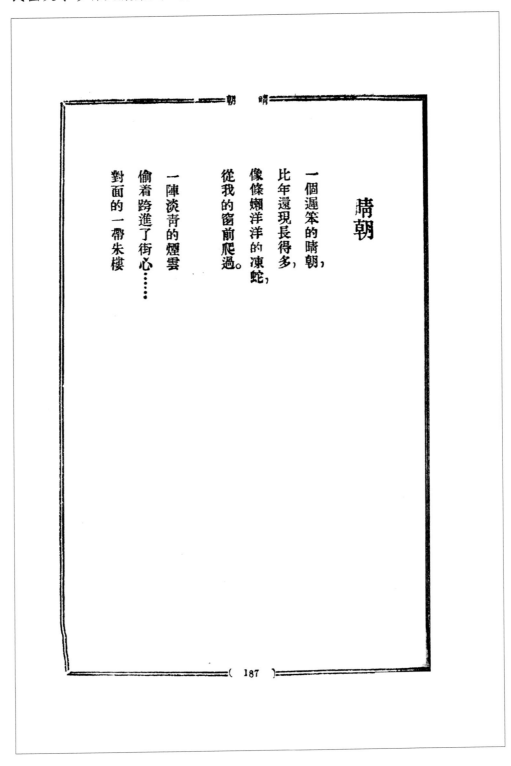

忽都被他咒入夢境。

栗色汽車像匹驕馬
休息在老綠陰中，
瞅着他自身的黑影，
連動也不動一動。

傲霜的老健的榆樹
伸出一隻粗胳膊，
擎在窗前底日光裏，

翩金弄綠，不奈樂何。

除了外一個黑人
薙草，刮刮地響聲漸遠，
再沒有一息聲音——
和平布滿了大自然，

和平蜷伏在人人心裏；
但是在我的心內，
若果也有和平底形跡，

那是一種和平底悲哀。

地球平穩地轉着，
一切的都向朝日微笑；
我也不是不會笑，
淚珠兒却先滾出來了。

皎皎的白日啊！
將照遍了朱樓底四面；
永遠照不進的是——

遊子底漆黑的心窩坎；
一個懨病的晴朝，
比年還過得慢，
像條負創的傷蛇，
爬過了我的窗前。

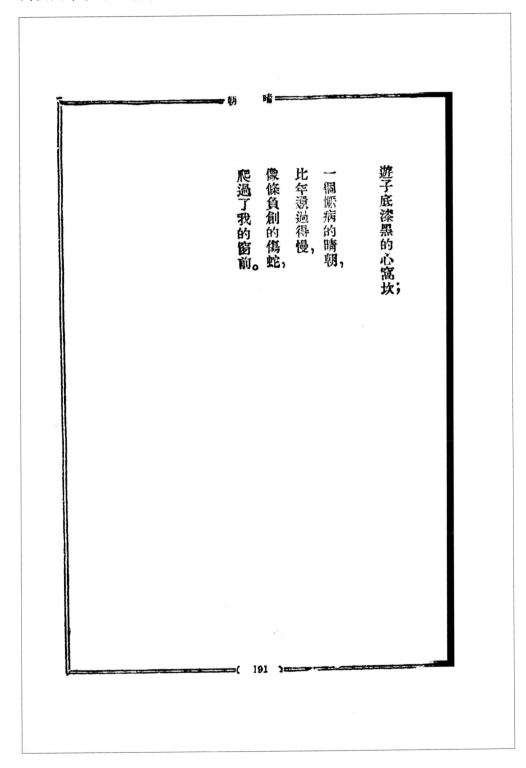

記憶

記憶渲起苦惱的黑淚
在生活底紙上寫滿蠅頭細字；
生活底紙可以撕成碎片，
記憶底筆跡永無磨滅之時。

啊！友誼底悲劇，希望底晚歌，
情熱底戰史，罪惡底供狀——
啊！不堪卒讀的文詞哦！

是記憶底親手筆，悲哀底舊文章！
請棄絕了我罷，拯救了我罷！
智慧喲！鈎引記憶底奸細！
若求忘却那悲哀的文章，
除非要你赦脫了你我的關係！

太陽吟

太陽啊，刺得我心痛的太陽！
又逼走了遊子底一齣還鄉夢，
又加他十二個時辰底九曲迴腸！

太陽啊，火一樣燒着的太陽！
烘乾了小草尖頭底露水，
可烘得乾遊子底冷淚盈眶？

太陽啊，六龍驂駕的太陽！
省得我受這一天天底緩刑，
就把五年當一天跑完那又何妨？

太陽啊——神速的金烏——太陽！
讓我騎着你每日繞行地球一周，
也便能天天望見一次家鄉！

太陽啊，樓角新昇的太陽！
不是剛從我們東方來的嗎？

我的家鄉此刻可都依然無恙？
太陽啊，我家鄉來的太陽！
北京城裏底官柳裹上一身秋了罷？
唉！我也顦顇的同深秋一樣！

太陽啊，奔波不息的太陽！
你也好像無家可歸似的呢。
啊！你我的身世一像地不堪設想！

太陽啊，自强不息的太陽！

大宇宙許就是你的家鄉罷。
可能指示我我底家鄉底方向？

太陽啊，這不像我的山川，太陽！
這裏的風雲另帶一般顏色，
這裏鳥兒唱的調子格外淒涼。

太陽啊，生命之火底太陽！
但是誰不知你是球東半底情熱，
同時又是球西半底智光？

太陽啊，也是我家鄉底太陽！
此刻我回不了我往日的家鄉，
便認你爲家鄉也還得失相償。

太陽啊，慈光普照的太陽！
往後我看見你時，就當回家一次；
我的家鄉不在地下乃在天上！

憶菊

——重陽前一日作——

插在長頸的蝦青瓷的瓶裏，
六方的水晶瓶裏的菊花，
攢在紫籐仙姑籃裏的菊花；
守着酒壺的菊花，
陪着蟹螯的菊花；
未放，將放，半放，盛放的菊花。

鑲着金邊的絳色的雞爪菊；
粉紅色的碎瓣的繡球菊！
懶慵慵的江西臘喲；
倒挂着一餅蜂窠似的黃心，
彷彿是朵紫的向日葵呢。
長瓣抱心，密瓣平頂的菊花；
柔豔的尖瓣攢蕊的白菊
如同美人底蜷着的手爪，
拳心裏攫着一撮兒金粟。

檐前，階下，籬畔，圃心底菊花：
靄靄的淡煙籠着的菊花，
絲絲的疎雨洗着的菊花，——
金底黃，玉底白，春釀底綠，秋山底紫，……

剪秋蘿似的小紅菊花兒；
從鵝絨到古銅色的黃菊；
帶紫莖的微綠色的「眞菊」
是些小小的玉管兒綴成的，
爲的是好讓小花神兒

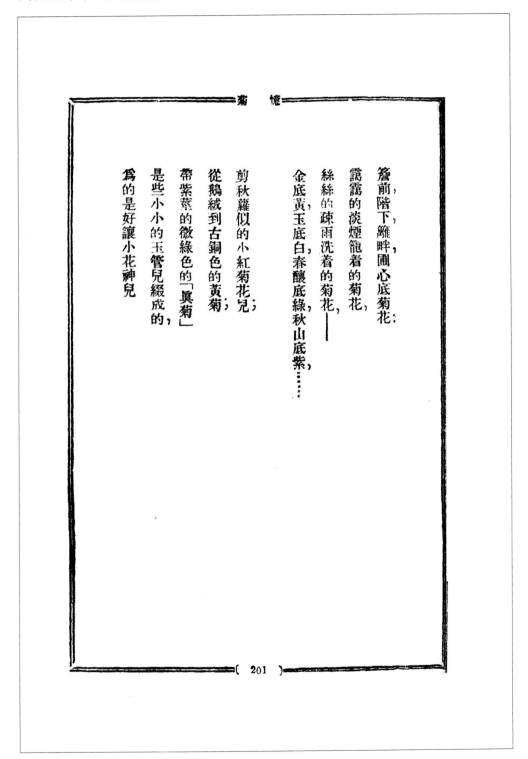

夜裏偷去當了笙兒吹着。
大似牡丹的菊王到底奢豪些，
他的棗紅色的瓣兒，鎧甲似的，
張張都裝上銀白的裏子了；
星星似的小菊花蕾兒
還擁着褐色的蕎被睡着覺呢。
啊！
啊自然美底總收成啊！
我們祖國之秋底傑作啊！

啊！東方底花，騷人逸士底花呀！
那東方底詩魂陶元亮
不是你的靈魂底化身罷？
那祖國底登高飲酒的重九
不又是你誕生底吉辰嗎？

你不像這裏的熱慾的薔薇，
那微賤的紫羅蘭更比不上你。
你是有歷史，有風俗的花。
啊！四千年花華胄底名花呀！

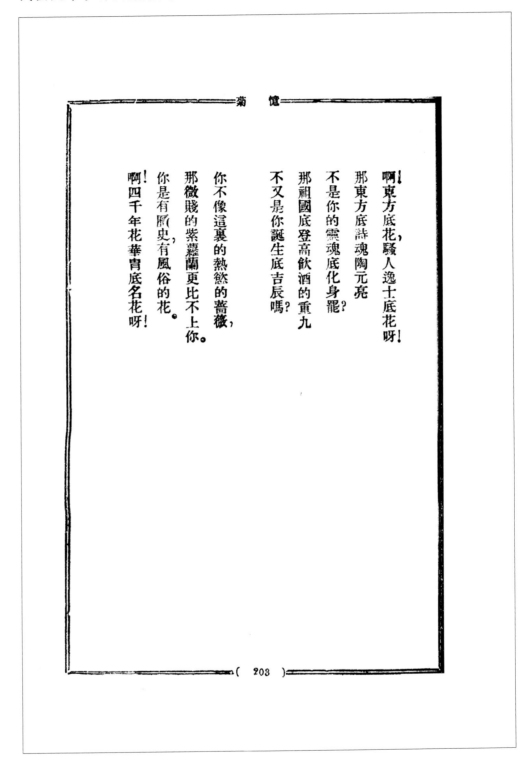

你有高超的歷史，你有逸雅的風俗！

啊！詩人底花呀！我想起你，
我的心也開成頃刻之花，
燦爛的如同你的一樣；
我想起你呵！我的家鄉
我們的莊嚴燦爛的祖國，
我的希望之花又開得同你一樣。

習習的秋風啊！吹着，吹着！

我要讚美我祖國底花！
我要讚美我如花的祖國！
請將我的字吹成一簇鮮花，
金底黃，玉底白，春釀底綠，秋山底紫，……
然後又統統吹散，吹得落英繽紛，
彌漫了高天，鋪遍了大地！

秋風啊！習習的秋風啊！
我要讚美我祖國底花！
我要讚美我如花的祖國！

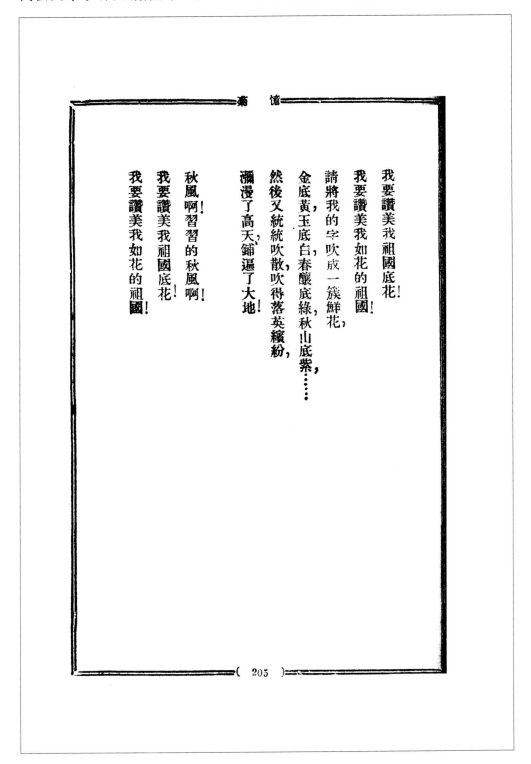

秋色

——芝加哥潔閣森公園裏——

「詩情也似并刀快，
剪得秋光入卷來」——陸游

紫得像葡萄似的澗水
翻起了一層層金色的鯉魚鱗。
幾片剪形的楓葉，
彷彿硃砂色的燕子，

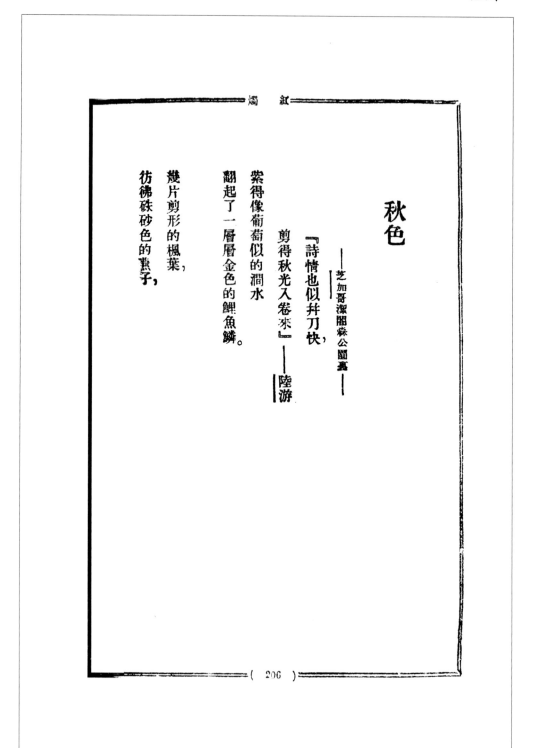

斷斜地在水面上
旋着，掠着，翻着，低昂着
……

肥厚得熊掌似的
櫻黃色的大橡葉，
在綠茵上狠籍着。
松鼠們張張慌慌地
在葉間爬出爬進，
蒐獵着他們來冬底糧食。

成了年的槺葉
向西風抱怨了一夜，
終於得了自由，
紅着乾燥的臉兒，
笑嬉嬉地辭了故枝。

白鴿子，花鴿子，
紅眼的銀灰色的鴿子，
烏鴉似的黑鴿子，
背上閃着紫的綠的金光——

倦飛的飛鴿子在堦下集齊了，
都將喙子插在翅膀裏，
寂靜悄靜地打盹了。

水似的空氣汜濫了宇宙；
三五個活潑潑的小孩，
（披着橘紅的黃的黑的毛絨衫）
在丁香叢裏穿着，
好像戲着浮萍的金魚兒呢。

是黃浦江林立的帆檣？
這般不清的削瘦的白楊
只堅在石青的天空裏發呆。

倜儻的綠楊像位豪貴的公子，
裹着件平金的繡襬，
一隻手叉着腰身，
照着心煩的碧玉池，
玩媚着自身的模樣兒。

凭在十二曲的水晶欄上，
晨曦瞰着世界微笑了，
笑出金子來了——
黃金笑在槐樹上，
赤金笑在橡樹上，
白金笑在白松皮上。

哦，這些樹不是樹了！
是些絢縵的祥雲——
琥珀的雲，瑪瑙的雲，

靈風扇着，旭日射着的雲。
哦！這些樹不是樹了，
是百寶玲瓏的祥雲。
哦，這些樹不是樹了，
是紫禁城裏的宮闕——
黃的琉璃瓦，
綠的琉璃瓦；
樓上起樓，閣外架閣……
小鳥唱着銀聲的歌兒，

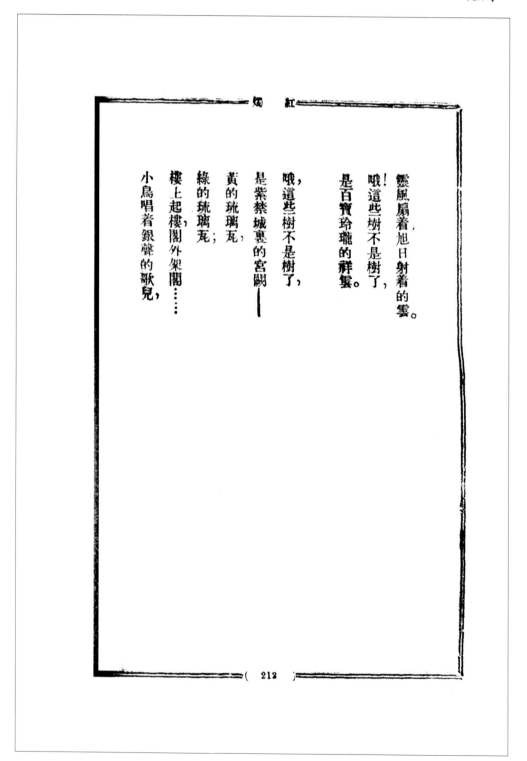

是殿角的風鈴底共鳴。
哦！這些樹不是樹了，
是金碧輝煌的帝京。
啊！斑斕的秋樹啊！
陵陽公樣的瑞錦，
土耳基底地氈，
Notre D.me 底薔薇窗，
Fra Angelico 底天使畫
都不及你這色彩鮮明哦！

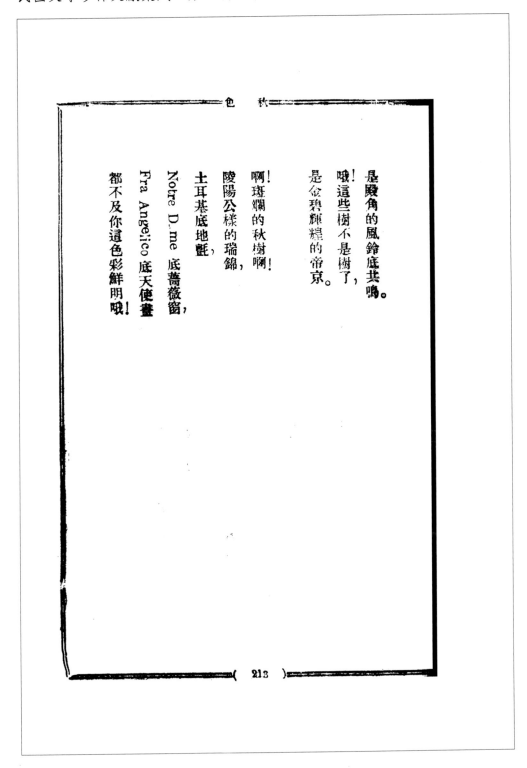

啊！斑斕的秋樹啊！
我羨煞你們這浪漫的世界，
這波希米亞的生活！
我羨煞你們的色彩！

哦！我要請天孫織件錦袍，
給我穿着你的色彩！
我要從葡萄，橘子，高粱……裏
把你榨出來，喝着你的色彩！
我要借義山濟慈底詩

唱着你的色彩！
在蒲寄尼底 La Boèh me 裏，
在七寶燒的博山爐裏，
我還要聽着你的色彩，
嗅着你的色彩！

哦！我要過個色彩的生活，
和這斑斕的秋樹一般！

秋深了

秋深了，人病了。
人敵不住秋了；
鎮日擁着件大氅，
像隻煨竈的貓，
蜷在搖椅上搖……搖……搖……
想着祖國，
想着家庭，
想着母校，

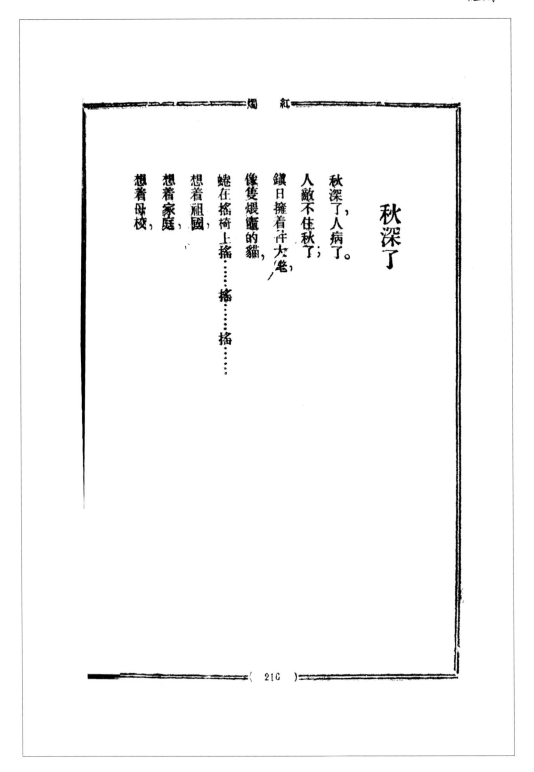

想着故人，
想着不勝想，不堪想的勝境良朝。

春底榮華逝了，
夏底榮華逝了；
秋在對面嵌白框窗子的，
金字塔似的木板房子檐下，
抱着香黃色的破頭帕，
追想春夏已逝的榮華；
想的傷心時，

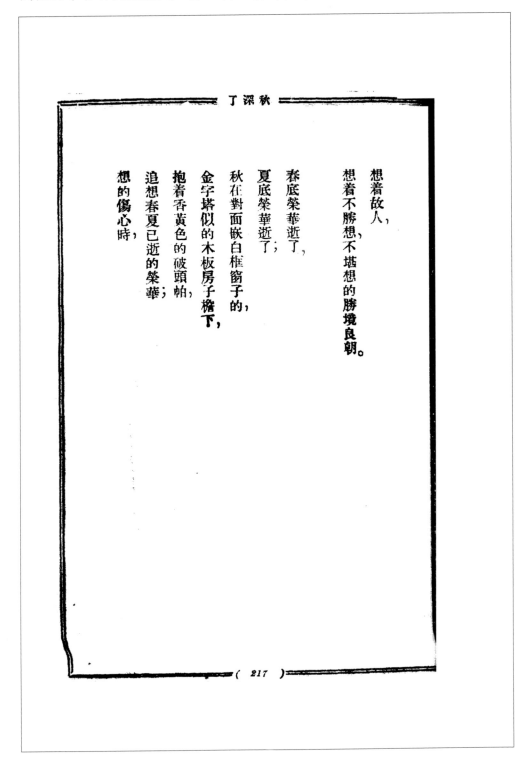

颯颯地灑下幾點黃金淚。

啊！秋是追想底時期！
秋是墮淚底時期！

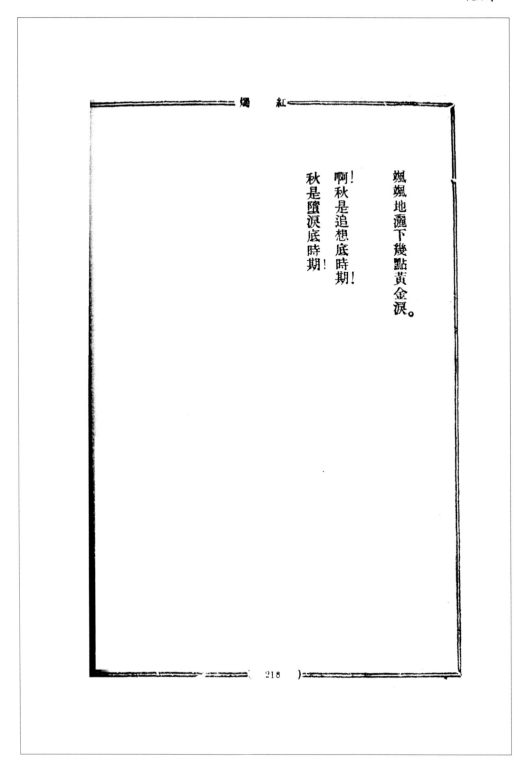

秋之末日

和西風酗了一夜的酒，
醉得顛頭跌腦，
灑了金子扯了錦繡，
還呼呼地吼個不休。

奢豪的秋，自然底浪子哦！
春夏辛苦了半年，
能有多少的積蓄，

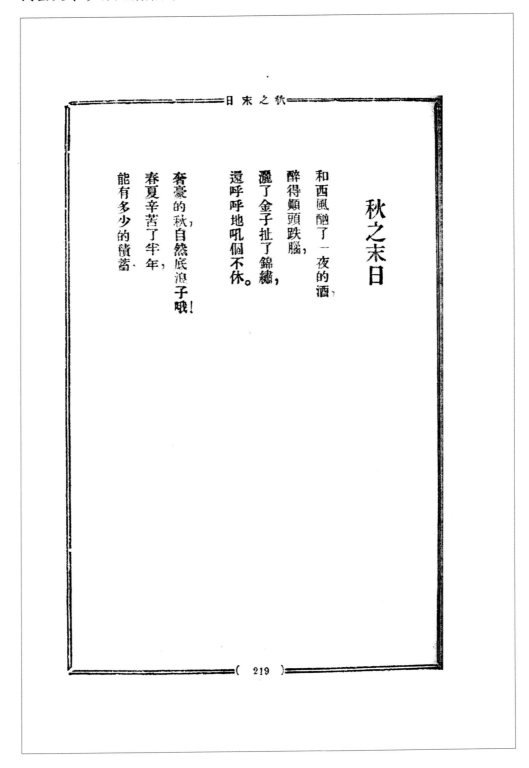

來供你這般地揮霍呢？
如今該要破產了罷！

廢園

一隻落魄的蜜蜂，
像個沿門托鉢的病僧，
遊到被秋雨踢倒了的，
一堆爛紙似的雞冠花上，
聞了一聞，馬上飛走了。

啊！零落底悲哀喲！
是蜂底悲哀？是花底悲哀？

小溪

鉛灰色的樹影，
是一長篇惡夢，
橫壓在昏睡着的
小溪底胸膛上。
山溪掙扎着，掙扎着……
似乎毫無一點影響。

稚松

他在夕陽底紅紗燈籠下站着，
他紐着頸子望着你，
他散開了藏着金色圓眼的，
海綠色的花翎——一層層的花翎。
他像是金谷園裏的
一隻開屏的孔雀罷？

爛果

我的肉早被黑蟲子齩爛了。
我睡在冷辣的青苔上，
索性讓爛的越加爛了，
只等爛穿了我的核甲，
爛破了我的監牢，
我的幽閉的靈魂
便穿着豆綠的背心，
笑迷迷地要跳出來了！

色彩

生命是張沒價值的白紙，
自從綠給了我發展，
紅給了我情熱，
黃教我以忠義，
藍教我以高潔，
粉紅賜我以希望，
灰白贈我以悲哀；
再完成這幀彩圖，

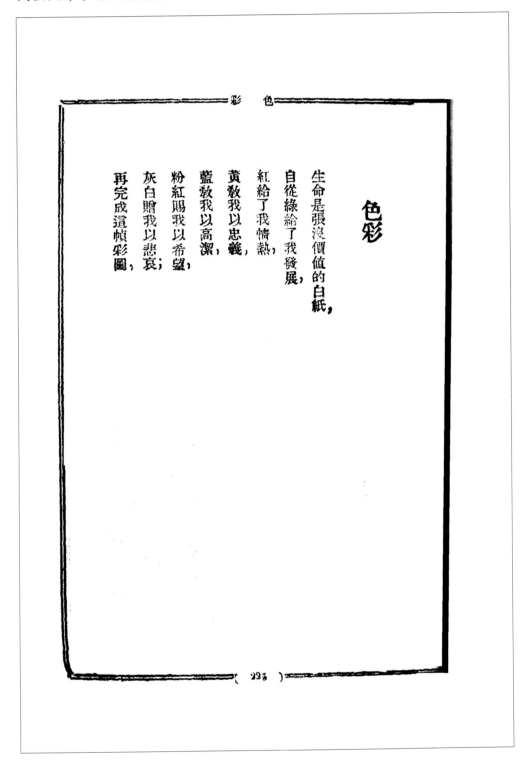

黑還要加我以死。

從此以後，
我便溺愛於我的生命、
因爲我愛他的色彩。

夢者

假如那綠晶晶的鬼火
是墓中人底
夢迸裏出的星光，
那我也不怕死了！

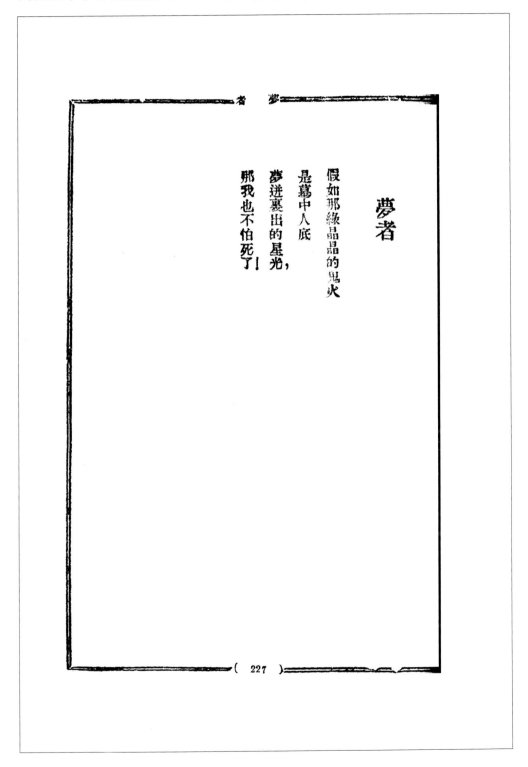

紅豆篇

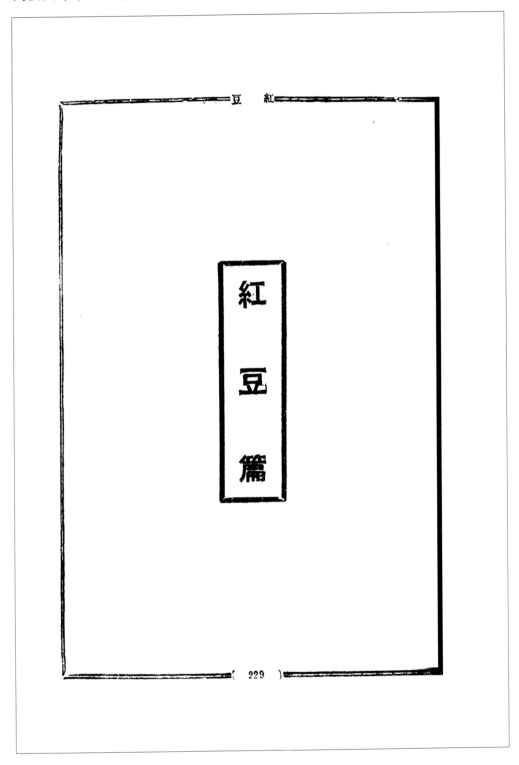

「此物最相思」

——王維——

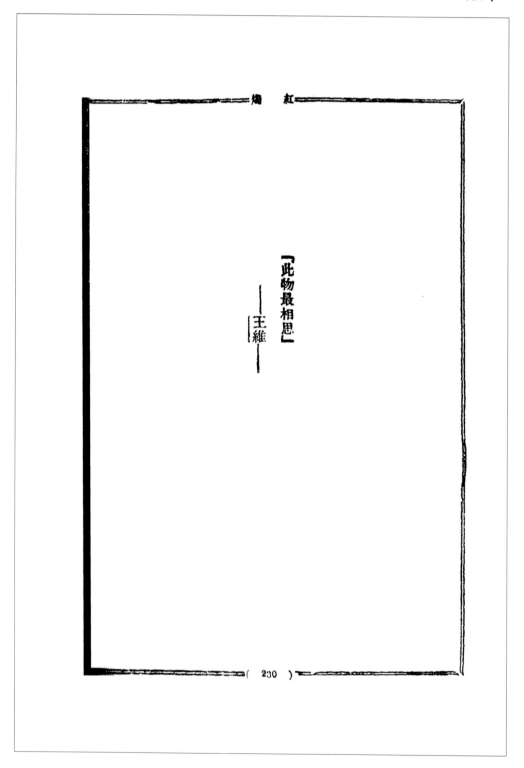

紅豆

一

紅豆似的相思啊！
一粒粒的
墜進生命底磁鐳裏了……
聽他跳激底音聲，
這般淒楚！
這般清切！

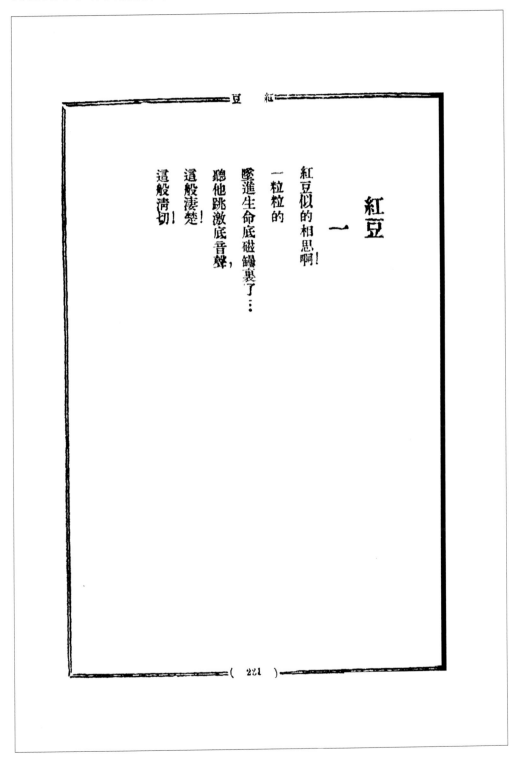

二

相思着了火，
有淚雨灑着，
還燒得好一點；
最難禁的，
是突如其來，
趕不及哭的乾相思。

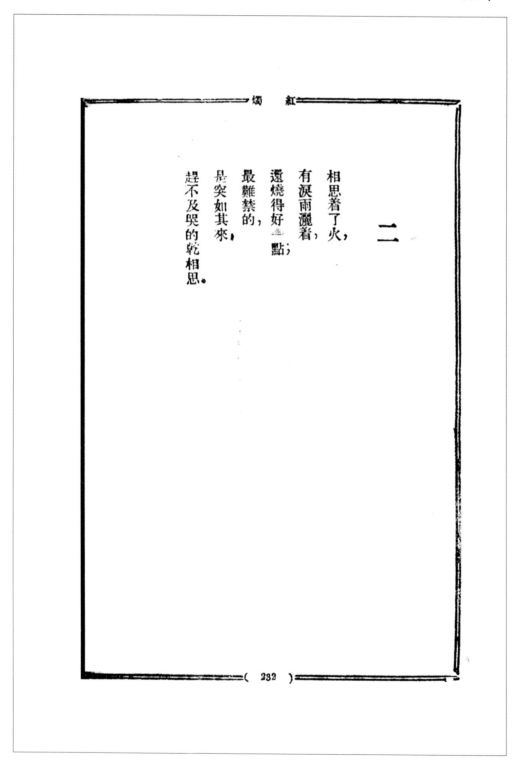

三

意識在時間底路上旅行；
每逢插起一杆紅旗之處，
那便是——
相思設下的關卡，
擋住行人，
勒索路捐的。

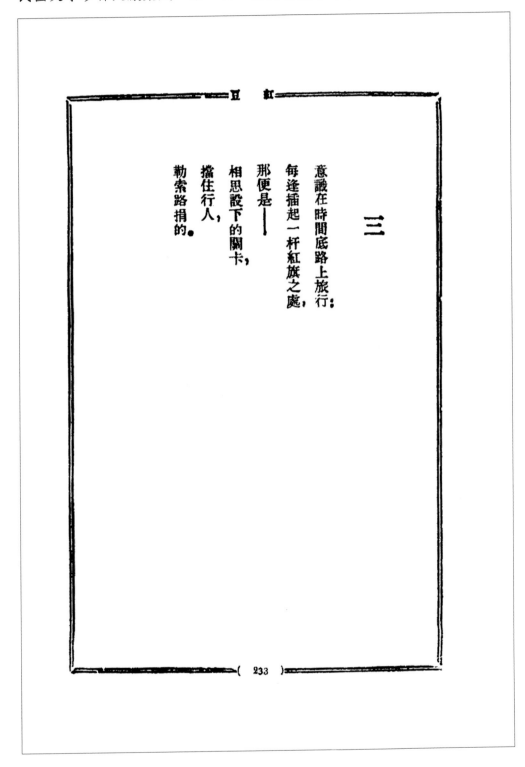

四

嬝嬝的篆煙啊!
是古麗的文章,
淡寫相思底詩句。

五

比方有一屑月光，
偷來匍匐在你枕上，
刺着你的倦眼，
撩得你鎮夜不着，
你討厭他不？
那麼這樣便是相思了？

六

相思是不作聲的蚊子，
偷偷地齩了一口，
阧然痛了一下，
以後便是一陣底奇癢。

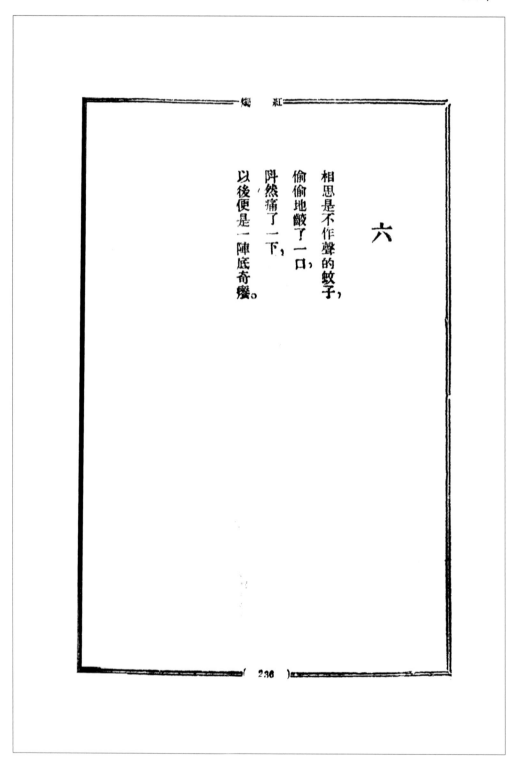

七

我的心是個沒設防的空城，
半夜裏忽被相思襲擊了，
我的心旌
只是一片倒降；
我只盼望——
他恣情屠燒一回就去了；
誰知他竟永遠佔據着，
建設起宮牆來了呢？

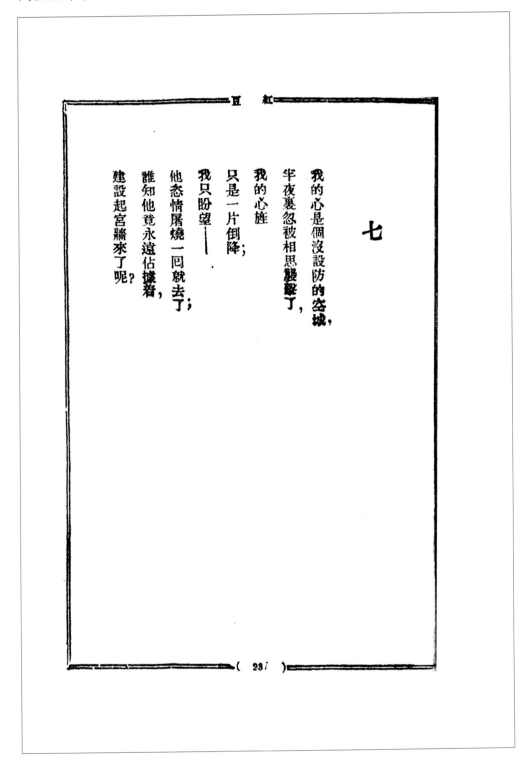

八

有兩樣東西，
我總想撇開，
却又總捨不得：
我的生命，
同爲了愛人兒的相思。

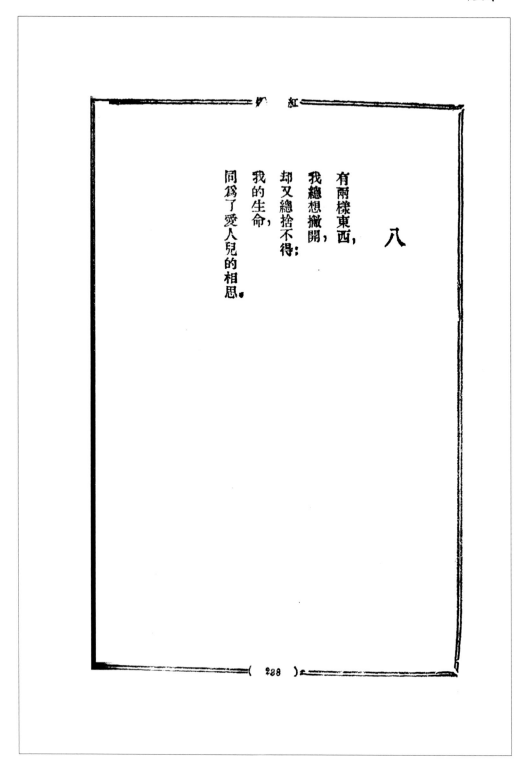

九

愛人啊！
將我作經線，
你作緯線，
命運織就了我們的婚姻之錦；
但是一幀迴文錦哦！
橫看是相思，
直看是相思，
順看是相思，

倒看是相思，
斜看正看都是相思，
怎樣看也看不出圈圈二字。

一〇

我倆是一體了！
我們的結合，
至少也和地球一般圓滿。
但你是東半球，
我是西半球，
我們又自己放着眼淚，
做成了這蒼莽的太平洋，
隔斷了我們自己。

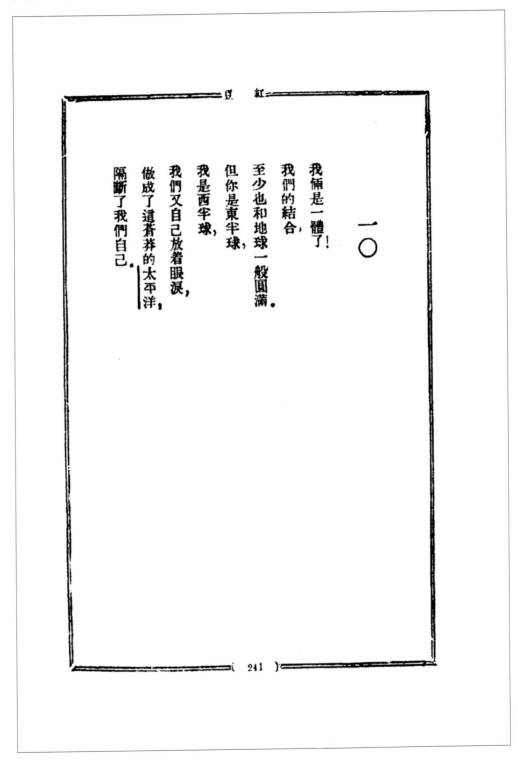

十一

相思枕上的長夜，
怎樣的厭厭難盡啊！
但這才是歲歲年年中之一夜，
大海裏的一個波濤。
愛人啊！
叫我又怎樣泅過這時間之海？

十二

我們有一天
相見接吻時，
若是我沒小心，
掉出一滴苦淚，
漬痛了你的粉頰，
你可不要驚訝！
那裏有多少年底
生了銹的情熱底成分啊！

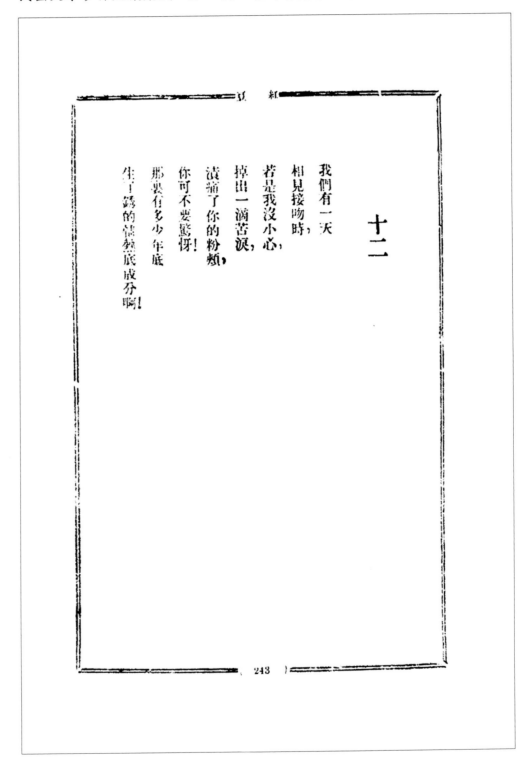

十三

我到底是個男子！
我們將來見面時，
我能對你哭完了，
馬上又對你笑。
你却不必如此；
你可以仰面望着我，
像一朵溼薔薇，
在霧後的斜陽裏，
慢慢兒曬乾你的眼淚。

十四

我把這些詩寄給你了，
這些字你若不全認識，
那也不要緊。
你可以用手指
輕輕壓着他們，
像醫生接着病人的脈，
你許可以試出
他們緊張地跳着，
同你心跳底節奏一般。

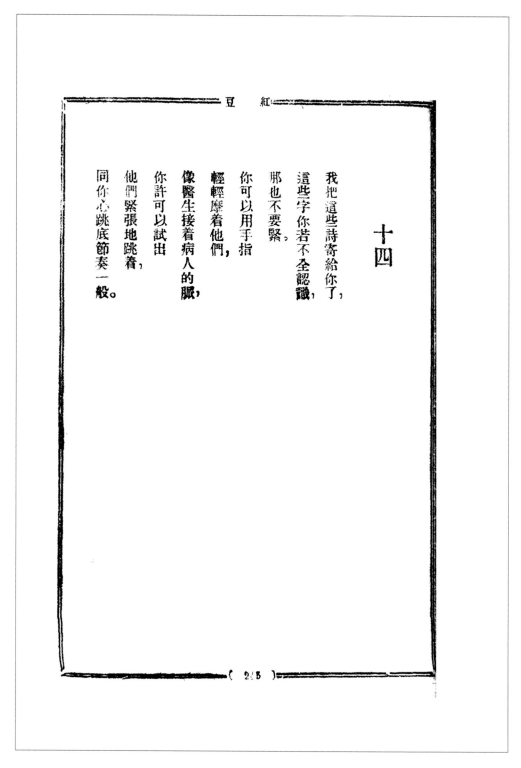

十五

古怪的愛人兒啊！
我夢時看見的你
是背面的。

十六

在雪點風驕的嚴冬裏，
忽然出了一顆紅日；
在心灰意冷的情緒裏，
忽然起了一陣相思——
這都是我沒料定的。

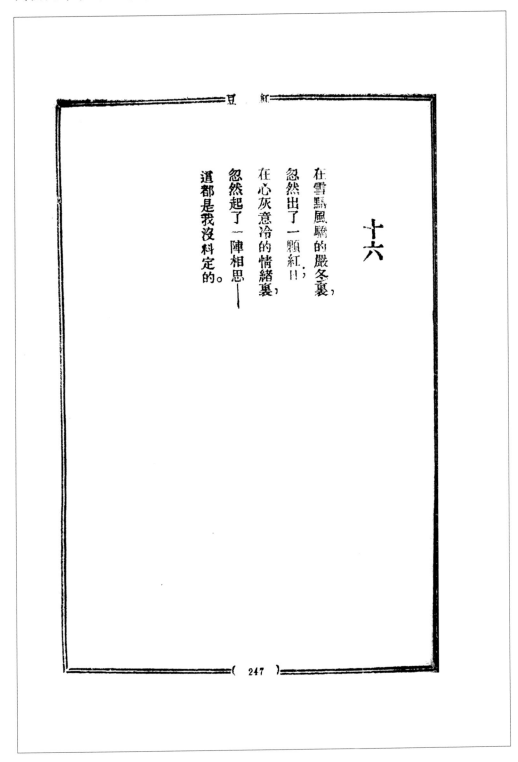

十七

討詩債的債主
果然回來了！
我先不妨
傾了我的家貲還着。
到底實在還不清了，
再剜出我的心頭肉，
同心一起付給他罷。

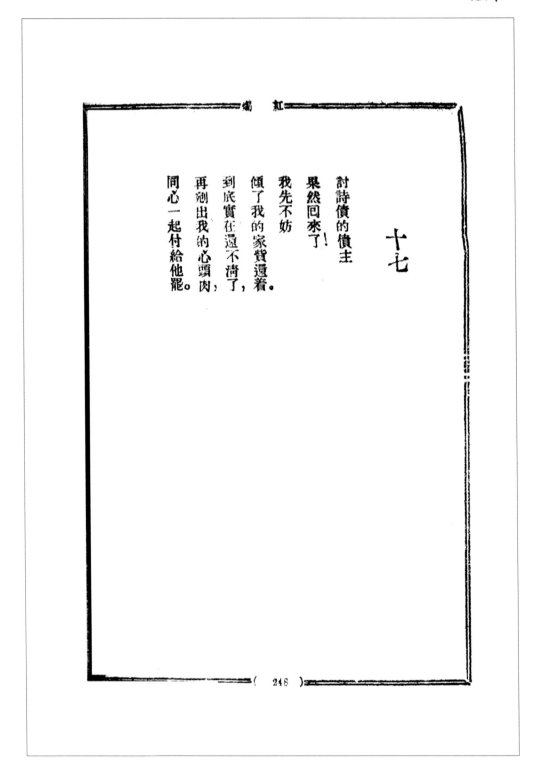

十八

我晝夜唱着相思底歌兒。
他們說我唱得形容顦顇了，
我將浪費了我的生命。

相思啊！
我頌了你嗎？
我是吐盡明絲的蠶兒，
死是我的休息；
我詛了你嗎？

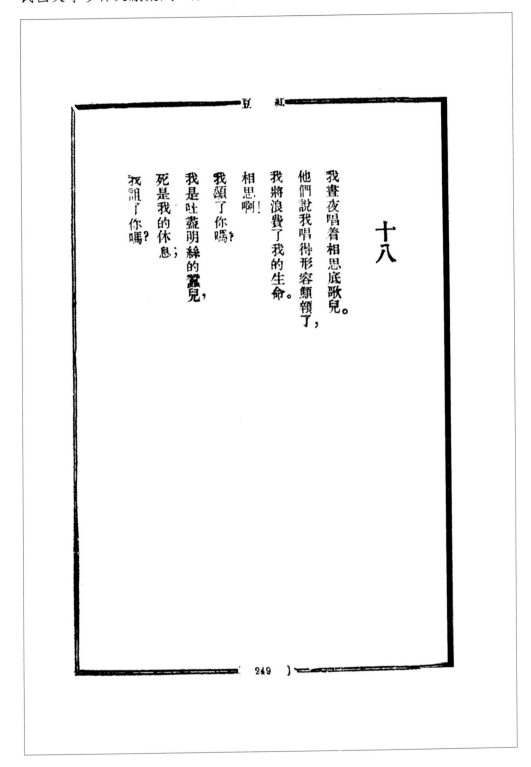

我是吐出毒劍底蜂兒，
死是我的刑罰。

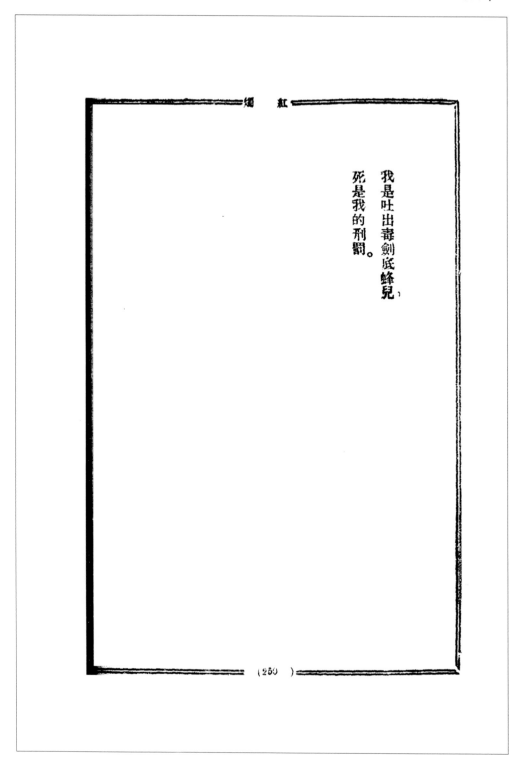

十九

我是隻驚弓的斷雁，
我的嘴要叫着你，
又要啣着蘆葦，
保障着我的生命。
我眞狼狽喲！

二〇

撲不滅的相思，
莫非是生命之原上底野燒？
株株小草底綠意，
都要被他燒焦了啊！

二二

深夜若是一口池塘，
這飄在他的黛漪上的
淡白的小菱花兒，
便是相思底花兒了。
哦！他結成青的，血青的，
有尖角的果子了！

二三

我們的春又回來了，
我搜盡我的詩句，
忙寫着紅紙的宜春帖。
我也不妨就便寫張
『百無禁忌』。
從此我若失錯觸了忌諱，
我們都不必介意罷！

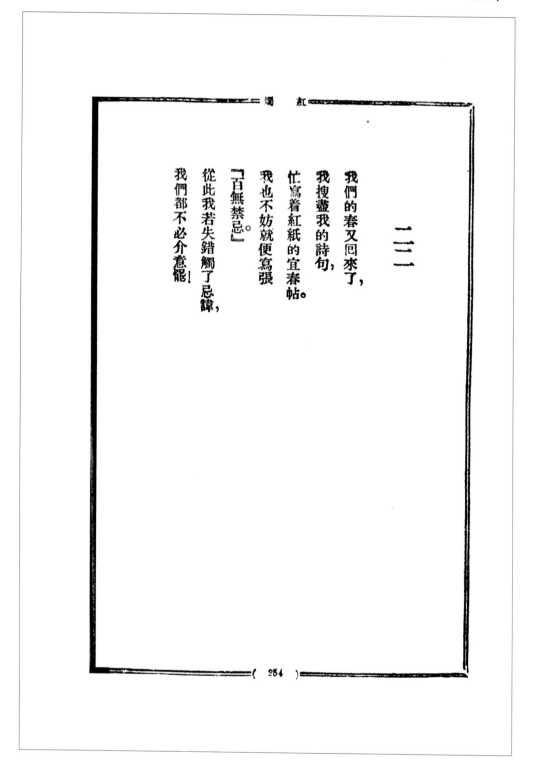

二三

我們是兩片浮萍：
從我們聚散底速率，
同距離底遠度，
可以看出風兒底緩急，
浪兒底大小。

二四

我們是鞭絲抽攏的伙伴，
我們是鞭絲抽散的離侶。
萬能的鞭絲啊！
叫我們讚頌嗎？
還是詛咒呢？

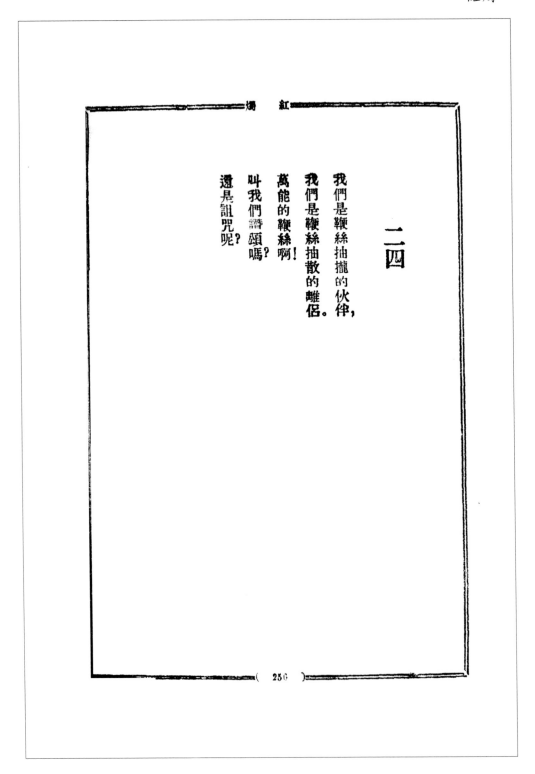

二五

我們弱者是魚肉；
我們曾被求福者
重看了盛在籩筐裏，
供在禮教底龕前。
我們多麼榮耀啊！

二六

你明白了嗎？
我們與照着客們吃喜酒的
一對紅蠟燭；
我們站在棹子底
兩斜對角上，
悄悄地燒着我們的生命，
給他們湊熱鬧。
他們吃完了，
我們的生命也燒盡了。

二七

若是我的話
講得太多，
講到末尾，
便陣胡講一了，
請你只當我灶上的烟囱：
口裏雖勃勃地吐着黑灰，
心裏依舊是紅熱的。

二八

這算他圓滿底三絕罷！——
蓮子，
淚珠兒，
我們的婚姻。

二九

這一滴紅淚：
不是別後的淸愁，
却是聚前的炎痛。

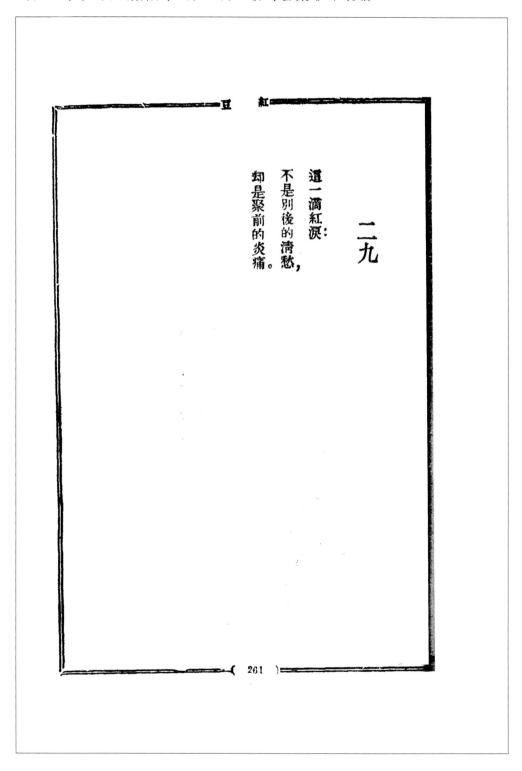

三〇

他們削破了我的皮肉，
冒着險將伊的枝兒
強蠻地插在我的莖上。
如今我雖帶着瘿腫的疤痕，
卻開出從來沒開過的花兒了。
他們是怎樣狠心的聰明啊！
但每逢我瞟出看花的人們
上下拋着眼珠兒，

打量着我的莖兒時，
我的臉就紅了！

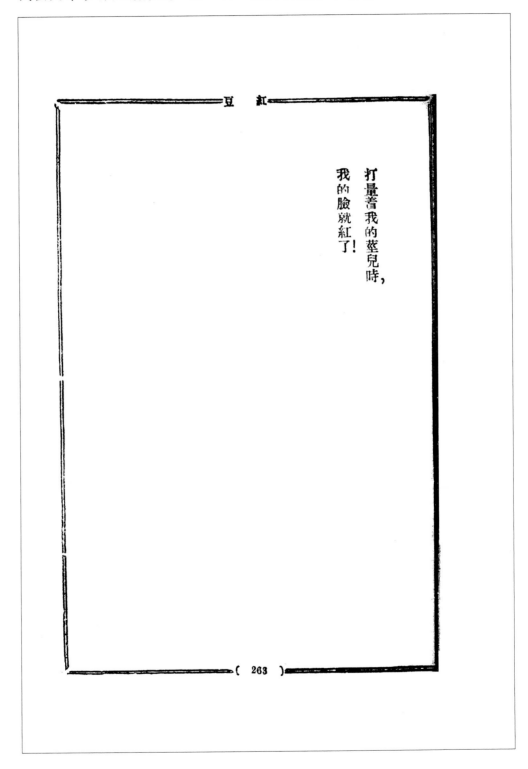

三一

哦，腦子啊！
刻着蟲書鳥篆的
一塊妖魔的石頭，
是我的佩刀底礪石，
也是我愛河裏的礁石，
愛人兒啊！
這又是我倆之間的界石！

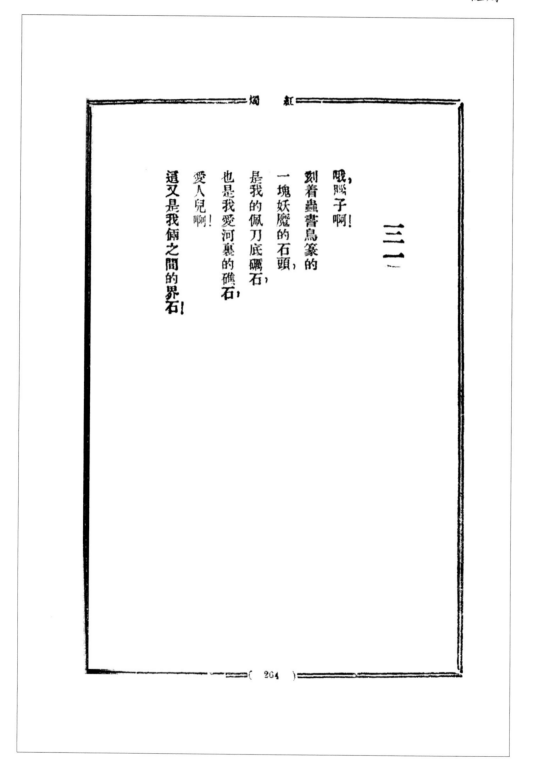

三一

幽冷的星兒啊！
這般零亂的一團！
愛人兒啊！
我們的命運，
都擺布在這裏了！

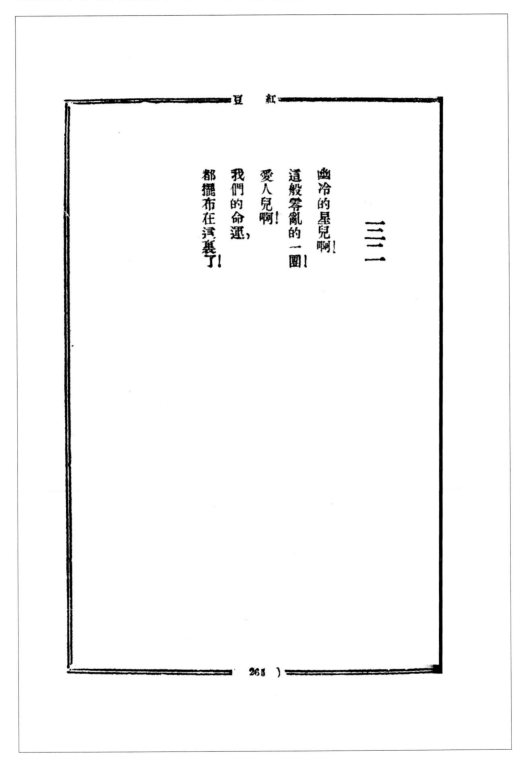

三三

冬天底長夜
好不容易等到天明了，
還是一塊冷冰冰的，
鉛灰色的天宇，
那裏看得見太陽呢？
愛人啊！哭罷哭罷！
這便是我們的將來喲！

三四

我是狂怒的海神，
你是被我捕着的一葉輕舟。
我的情潮一起一落之間，
我笑着看你顛簸；
我的千百個濤頭
用白晃晃的鋸齒齕你，
把你齕碎了，
便和檣帶舵，吞了下去。

三五

夜鷹號咷地叫着；
北風拍着門環，
撕着窗紙，
撞着牆壁，
掀着屋瓦，
非闖進來不可。
紅燭只不息地淌着血淚，
凝成大堆赤色的石鐘乳。

愛人啊！你在那裏？
快來剪去那烏雲似的燭花，
快窩着你的素手
遮護着這抖顫的燭焰！
愛人啊！你在那裏？

三六

當我告訴你們：
我曾在玉簫牙板，
一派悠揚的細樂裏，
親手掀起了伊的紅蓋帕；
我曾著着銀燭，
一壁擷着伊的鳳釵，
一壁在伊耳邊問道；
「認得我嗎？」

朋友們啊！
當你們聽我講這些故事時，
我又在你們的笑容裏，
認出了你們私心的豔羨。

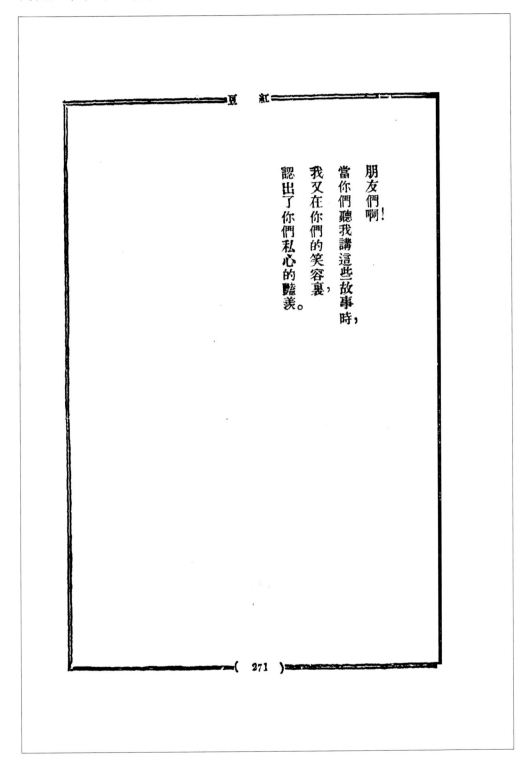

三七

這比我的新人，
誰個溫柔？
從爐面鏤空的雙喜字間，
吐出了一綫蜿蜒的香篆。

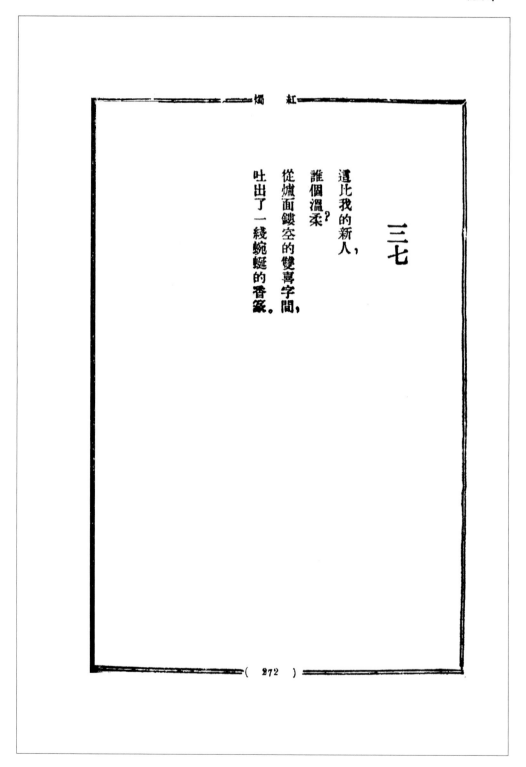

三八

你午睡醒來，
臉上印着紅凹的簟紋，
怕是練子鎖着的
夢魂兒罷？
我吻着你的香腮，
便吻着你的夢兒了。

三九

我若替伊畫像，
我不許一點人工產物
污穢了伊的玉體。
我並不是用畫家底肉眼
在一套曲線裏看伊的美；
但我要描出我常夢看的伊——
一個通靈澈潔的裸體的天使！
所以為免除誤會起見，

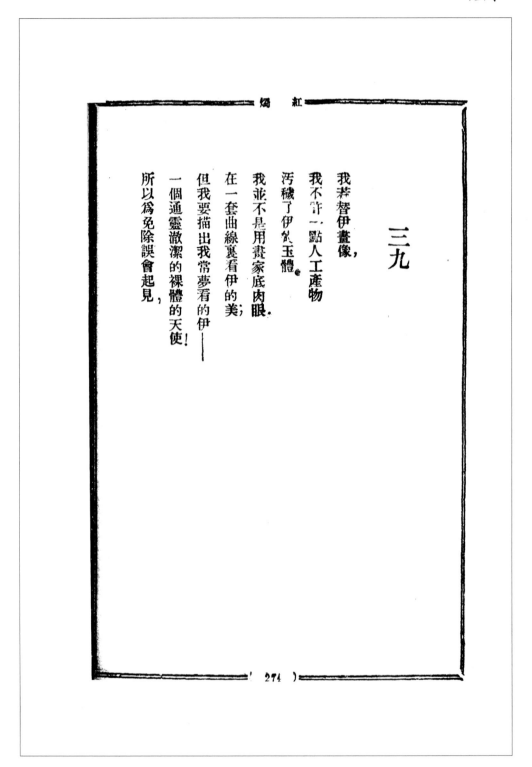

我還要叫伊這兩肩上
生出一雙翅膀來。
若有人還不明白，
便把伊錯認作一隻彩鳳，
那倒沒到什麽不可。

四〇

假如黃昏時分,
忽來了一陣雷電交加的風暴,
不須怕得呀,愛人!
我將緊拉着你的手,
到窗口並肩坐下;
我們一句話也不要講,
我們只凝視着
我們自己的愛力

在天邊碰着，
碰出些金箭似的光芒，
炫瞎我們自己的眼睛。

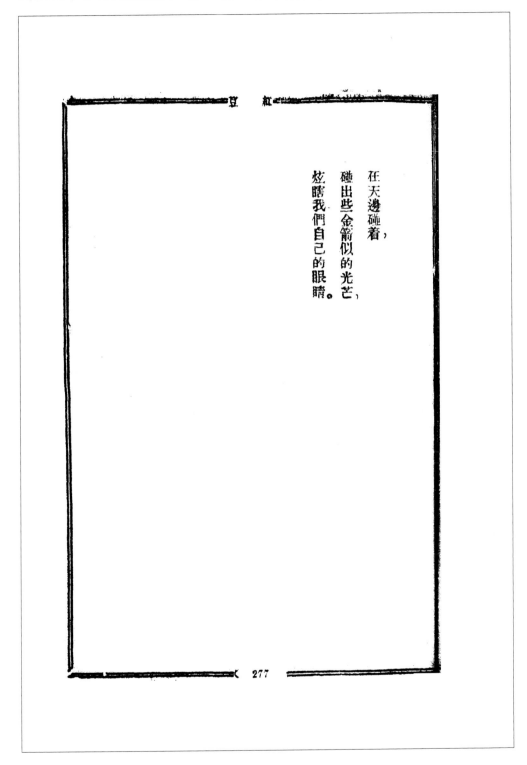

四一

有酸的，有甜的，有苦的，有辣的。
豆子都是紅色的，
味道却不同了。
辣的先讓禮教嘗嘗！
苦的我們分着囫圇地吞下。
酸的酸得像梅子一般，
不妨細嚼着止止我們的渴。
甜的呢！
啊！甜的紅豆都分送給鄰家作種子罷！

四二

我唱過了各樣的歌兒，
單單忘記了你。
但我的歌兒該當越新越唱越美。
這些最後唱的最美的歌兒，
一字一顆明珠，
一字一顆熱淚，
我的皇后啊！
這些算了我贖罪底菲儀，
這些我跪着捧獻給你。

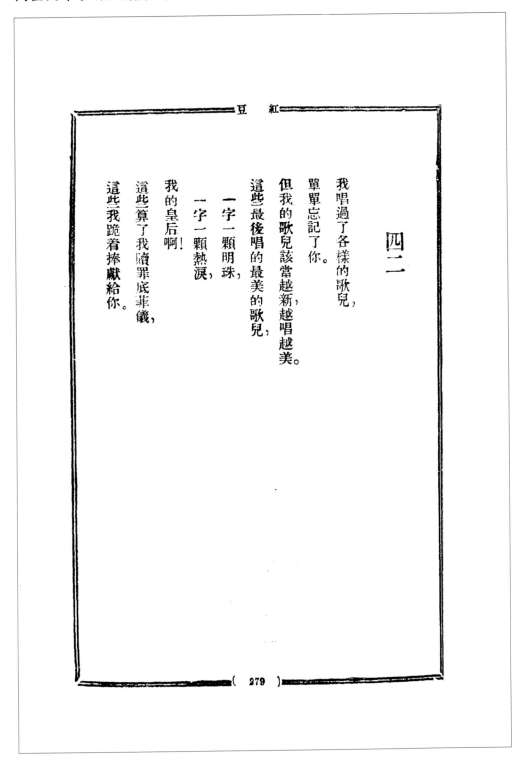

中華民國十二年九月初版

本書（實售大洋六角 外埠寄費六分）

（全一冊）

紅燭

著作者 聞一多

發行者 趙南公

印刷者 泰東圖書局

總發行所泰東圖書局 上海四馬路一二四—五號

特約代售處重慶唯一書局

死水

聞一多 著

新月書店（上海）一九二八年一月初版，一九二九年四月再版。
原書三十二開。

死水
聞一多

死水

目錄

你看
也許
忘掉她
淚雨
末日
死水
春光
黃昏
我要囘來
夜歌

聞一多先生的書桌

口供

我不騙你，我不是什麼詩人，
縱然我愛的是白石的堅貞，
青松和大海，鴉背馱着夕陽，
黃昏裏織滿了蝙蝠的翅膀。
你知道我愛英雄，還愛高山，
我愛一幅國旗在風中招展，
自從鵝黃到古銅色的菊花。

記着我的糧食是一壺苦茶！
可是還有一個我，你怕不怕？——
蒼蠅似的思想，垃圾桶裏爬，

2

收回

那一天只要命運肯放我們走！
不要怕；雖然得走過一個黑洞，
你大膽的走；讓我掇着你的手；
也不用問那裏來的一陣陰風。

只記住了我今天的話，留心那
一掬溫存，幾朵吻，留心那幾莖笑，

都給拾起來，沒有差；——記住我的話，
拾起來，還有珊瑚色的一串心跳。
可憐今天苦了你——心渴望着心——
那時候該讓你拾，拾一個痛快，
拾起我們今天損失了的黃金。
那斑爛的殘瓣，都是我們的愛，
拾起來，戴上。
　　　　　你戴着愛的圓光，
我們再走，管他是地獄，是天堂！

4

『你指着太陽起誓』

你指着太陽起誓，叫天邊的鳧雁
說你的忠貞。好了，我完全相信你，
甚至熱情開出淚花，我也不詫異。
祗是你要說什麼海枯，什麼石爛……
那便笑得死我。這一口氣的工夫
還不夠我陶醉的？還說什麼『永久？』
愛，你知道我祗有一口氣的貪圖，

快來箍緊我的心，快！啊，你走，你走……

我早算就了你那一手——也不是變卦——
『永久』早許給了別人，粃糠是我的份，
別人得的纔是你的菁華——不壞的千春。
你不信？假如一天死神拿出你的花押，
你走不走？去去！去戀着他的懷抱，
跟他去講那海枯石爛不變的貞操！

什麼夢？

一排雁字倉皇的渡過天河，
塞雁的哀呼從她心裏穿過，
『人啊，人啊』她嘆道，
『你在那裏，在那裏叫着我？』

黃昏擁着恐怖，直向她進逼，
一團劇痛沈澱在她的心裏，

「天啊，天啊」她叫道，
「這到底，到底是什麽意義？」
道是那樣長，行程又在夜裏，
她站在生死的門限上猶夷，
「煩悶，煩悶」他想道，
「我將永遠，永遠結束了你！」
決斷寫在她臉上，——決斷的從容，……
忽然搖籃裏哇的一陣警鐘，

8

『兒啊，兒啊』她哭了，

『我做的是什麼是什麼夢？』

大鼓師

我掛上一面豹皮的大鼓，
我敲着它遊遍了一個世界，
我唱過了形形色色的歌兒，
我也聽飽了喝不完的彩。

一角斜陽倒挂在檐下，
我躡着芒鞋，踏入了家村。

10

『咱們自己的那只歌兒呢?』
　她趕上前來,一陣的高興。
我會唱英雄,我會唱豪傑,
　那倩女情郎的歌,我也唱,
若要問到咱們自己的歌,
　天知道,我眞說不出的心慌!
我却吞下了悲哀,叫她一聲,
　『快拿我的三弦來,快呀快!

這隻破鼓也忒嫌鬧了，我要
　那弦子彈出我的歌兒來。」

我先彈着一擘白鴿在霜林裏，
　珊珊爪兒踩着黃葉一堆；
然後你聽那秋蟲在石縫裏叫，
　忽然又變了冷雨灑着柴扉。

灑不盡的雨，流不完的淚，……
　我叫聲「娘子！」把弦子丟了，

12

「今天我們拿什麼作歌來唱？
歌兒早已化作淚兒流了！

「怎麼？怎麼你也抬不起頭來？
啊！這怎麼辦」怎麼辦！……
來！你來！我兜出來的悲哀，
得讓我自己來吻它乾。

「只讓我這樣呆望着你，娘子，
像窗外的芭蕉望着月亮，

讓我只在靜默中讚美你，
　可是總想不出什麼歌來唱。
「縱然是刀斧削出的連理枝，
　你瞧，這姿勢一點也沒有扭。
我可憐的人，你莫疑我，
　我原也不怪那揮刀的手。
「你不要多心，我也不要問，
　山泉到了井底，還往那裏流？

14

我知道你永遠超不了波瀾，
　我要你永遠給我潤着歌喉。
『假如最末的希望否認了孤舟，
　假如你拒絕了我，我的船塢！
我戰着風濤，日暮歸來，
　誰是我的家，誰是我的歸宿？
『但是，娘子啊！在你的尊前，
　許我大鼓三弦都不要用；

我們委實沒有歌好唱，我們
旣不是兒女，又不是英雄！—

狼狽

假如流水上一抹斜陽
悠悠的來了，悠悠的去了；
假如那時不是我不留你，
那顆心不由我作主了。

假如又是灰色的黃昏
載滿了蝙蝠的翅膀；

假如那時不是我不念你，
那時的心什麼也不能想，

假如落葉像敗陣紛逃，
暗影在我這窗前睥睨；
假如這顆心不是我的了，
女人，叡它如何想你？

假如秋夜也這般的寂寥……
噓！這是誰在我耳邊講話？

18

這分明不是你的聲音，女人；
假如她偏偏要我降她。

你莫怨我

你莫怨我！
這原來不算什麼，
人生是萍水相逢，
讓他萍水樣錯過。
你莫怨我！

你莫闕我！

20

淚珠在眼邊等着，
只須你說一句話，
一句話便會碰落，
　你莫問我！

　你莫惹我！
不要想灰上點火，
我的心早累倒了，
最好是讓它睡着，
　你莫惹我！

　你莫碰我
你想什麽，想什麽？
我們是萍水相逢，
應得輕輕的錯過。
　你莫碰我！

　你莫管我！
從今加上一把鎖；
再不要敲錯了門，

今回算我擅的禍，
你莫管我！

你看

你看太陽像眠後的春蠶一樣，
鎮日吐不盡黃絲似的光芒；
你看負暄的紅襟在電桿梢上
酣眠的錦鴨泊在老柳根旁。

你眼前又陳列着青春的寶藏，
朋友們，請就在這眼前欣賞；

你有眼睛請再看青山的翳障，
但莫向那山外探望你的家鄉。

你聽聽那枝頭頌春的梅花雀，
你得揩乾眼淚，和他一只歌。
朋友，鄉愁最是個無情的惡魔，
他能教你眼前的春光變作沙漠。

你看春風解放了冰鎖的塞溪，
半溪白齒琮琮的漱着漣漪，

細草又織就了秞秞的綠意，
白楊枝上招展着么小的銀旗。

朋友們，等你看到了故鄉的春，
怕不要老盡春光老盡了人？
啊，不要探望你的家鄉，朋友們，
家鄉是個賊，他能偷去你的心！

26

也許

（葬歌）

也許你眞是哭得太累，
也許，也許你要睡一睡，
那麼叫蒼鷺不要咳嗽，
蛙不要號，蝙蝠不要飛，

不許陽光攢你的眼簾，

不許清風刷上你的眉，
無論誰都不許驚醒你，
我吩咐山靈保護你睡，

也許你聽着蚯蚓翻泥，
聽那細草的根兒吸水，
也許你聽這般的音樂
比那咒罵的人聲更美；

那麼你先把眼皮閉緊，

98

我就讓你睡，我讓你睡，
我把黃土輕輕蓋着你，
我叫紙錢兒綏綏的飛。

忘掉她

忘掉她，像一朵忘掉的花，——
　那朝霞在花瓣上，
　那花心的一縷香——
忘掉她，像一朵忘掉的花！

忘掉她，像一朵忘掉的花！
　像春風裏一齣夢，

像夢裏的一聲鐘，
忘掉她，像一朵忘掉的花！

忘掉她，像一朵忘掉的花！
聽蟋蟀唱得多好，
看墓草長得多高；
忘掉她，像一朵忘掉的花！

忘掉她，像一朵忘掉的花！
她已經忘記了你，

她什麼都記不起；
忘掉她，像一朵忘掉的花！

忘掉她，像一朵忘掉的花！
年華那朋友眞好，
他明天就教你老；
忘掉她，像一朵忘掉的花！

忘掉她，像一朵忘掉的花！
如果是有人要問，

82

就說沒有那個人;
忘掉她,像一朵忘掉的花!
忘掉她,像一朵忘掉的花!
像春風裏一齣夢,
像夢裏的一聲鐘,
忘掉她,像一朵忘掉的花!

淚雨

他在那生命的陽春時節，
曾流着號飢號寒的眼淚；
那原是舒生解凍的春霖，
却也兆徵了生命的哀悲。

他少年的淚是連綿的陰雨，
暗中澆熟了酸苦的黃梅；

如今黑雲密布，雷電交加，
他的淚像夏雨一般的滂沛。

中途的悵惘，老大的蹉跎，
他知道中年的苦淚更多，
中年的淚定似秋雨淅瀝，
梧桐葉上敲着永夜的悲歌。

誰說生命的殘冬沒有眼淚？
老年的淚是悲哀的總和；

他還有一掬結晶的老淚，
要開作漫天愁人的花朵。

末日

露水在筧筒裏哽咽着，
　芭蕉的綠舌頭舐着玻璃窗，
四圍的堊壁都往後退，
　我一人填不滿偌大一間房。

我心房裏燒上一盆火，
　靜候着一個遠道的客人來，

我用蛛絲鼠矢餵火盆，
我又用花蛇的鱗甲代劈柴。
雞聲直催，盆裏一堆灰，
一股陰風偸來摸着我的口，
原來客人就在我眼前，
我眼皮一閉，就跟着客人走。

28

死水

這是一溝絕望的死水，
清風吹不起半點漪淪。
不如多扔些破銅爛鐵，
爽性潑你的賸菜殘羹。

也許銅的要綠成翡翠，
鐵罐上銹出幾瓣桃花；

再讓油膩織一層羅綺，
黴菌給他蒸出些雲霞。

讓死水酵成一溝綠酒，
飄滿了珍珠似的白沫；
小珠笑一聲變成大珠，
又被偷酒的花蚊咬破。

那麼一溝絕望的死水，
也就誇得上幾分鮮明。

40

如果青蛙耐不住寂寞，
又算死水叫出了歌聲。

這是一溝絕望的死水，
這裏斷不是美的所在，
不如讓給醜惡來開墾，
看他造出個什麼世界。

春光

靜得像入定了的一般，那天竹，
那天竹上密葉遮不住的珊瑚；
那碧桃；在朝暾裏運氣的麻雀。
春光從一張張的綠葉上爬過。
驀地一道陽光晃過我的眼前，
我眼睛裏飛出了萬隻的金箭，
我耳邊又謠傳着翅膀的摩聲，

彷彿有一羣天使在空中遨遊……

忽地深巷裏迸出了一聲清籟：

『可憐可憐我這瞎子，老爺太太！』

黃昏

黃昏是一頭遲笨的黑牛，
一步一步的走下了西山；
不許把城門關鎖得太早，
總要等黑牛走進了城圈。

黃昏是一頭神秘的黑牛，
不知他是那一界的神仙——

44

天天月亮要送他到城裏，
一早太陽又牽上了西山。

我要回來

我要回來，
乘你的拳頭像蘭花未放，
乘你的柔髮和柔絲一樣，
乘你的眼睛裏燃着靈光，
我要回來。

我沒回來，

48

乘你的腳步像風中盪槳，
乘你的心靈像癡蠅打窗，
乘你笑聲裏有銀的鈴鐺，
　我沒回來。

　我該回來，
乘你的眼睛裏一陣昏迷，
乘一口陰風把殘燈吹熄，
乘一隻冷手來掇走了你，
　我該回來。

我回來了，
乘流螢打着燈籠照着你，
乘你的耳邊悲啼着涉雞，
乘你睡着了，含一口沙泥，
我回來了。

48

夜歌

蝦蟆抽了一個寒噤，
黃土堆裏攢出個婦人，
婦人身旁找不出陰影，
月色却是如此的分明。

黃土堆裏攢出個婦人，
黃土堆上並沒有裂痕；

也不會驚動一條蚯蚓，
或繃斷蛸蠨一根網繩。

月光底下坐着個婦人，
婦人的容貌好似青春，
猩紅衫子血樣的猙獰，
髼鬆的散髮披了一身。

婦人在號咷，捶着胸心，
癩蝦蟆只是打着寒噤，

遠村的荒雞哇的一聲，
黃土堆上不見了婦人。

心跳

這燈光，這燈光漂白了的四壁；
這賢良的桌椅，朋友似的親密；
這古書的紙香一陣陣的襲來；
要好的茶杯貞女一般的潔白；
受哺的小兒接呷在母親懷裏，
鼾聲報道我大兒康健的消息……
這神秘的靜夜，這渾圓的和平，

52

我喉嚨裏顫動着感謝的歌聲。
但是歌聲馬上又變成了咒詛，
靜夜！我不能，不能受你的賄賂
誰希罕你這牆內尺方的和平！
我的世界還有更遼闊的邊境。
這四牆既隔不斷戰爭的喧囂，
你有什麼方法禁止我的心跳？
最好是讓這口裏塞滿了沙泥，
如其它只會唱着個人的休戚！
最好是讓這頭顱給田鼠掘洞

讓這一團血肉也去餵着屍蟲，
如果只是爲了一盃酒，一本詩，
靜夜裏鐘擺搖來的一片閒適，
就聽不見了你們四鄰的呻吟，
看不見寡婦孤兒抖顫的身影，
戰壕裏的痙攣瘋人齩着病榻，
和各種慘劇在生活的磨子下。
幸福！我如今不能受你的私賄，
我的世界不在這尺方的牆內。
聽！又是一陣砲聲，死神在咆哮。

靜夜！你如何能禁止我的心跳？

一個觀念

你雋永的神秘，你美麗的謊，
你倔強的質問，你一道金光，
一點兒親密的意義，一股火，
一縷縹渺的呼聲，你是什麼？
我不疑，這因緣一點也不假，
我知道海洋不騙他的浪花。
旣然是節奏，就不該抱怨歌。

啊，橫暴的威靈，你降伏了我，
你降伏了我！你絢縵的長虹——
五千多年的記憶，你不要動，
如今我只問怎樣抱得緊你……
你是那樣的橫蠻，那樣美麗！

發現

我來了，我喊一聲，迸着血淚，
「這不是我的中華，不對，不對！」
我來了，因爲我聽見你叫我；
鞭着時間的罡風，擎一把火，
我來了，不知道是一場空喜。
我會見的是噩夢，那裏是你？
那是恐怖，是噩夢掛着懸崖，

那不是你，那不是我的心愛！
我追問青天，逼迫八面的風，
我問，拳頭擂着大地的赤胸，
總問不出消息；我哭着叫你，
嘔出一顆心來你在我心裏！

祈禱

請告訴我誰是中國人，
啟示我，如何把記憶抱緊；
請告訴我這民族的偉大，
輕輕的告訴我，不要喧譁！

請告訴我誰是中國人，
誰的心裏有堯舜的心，

60

誰的血是荊軻聶政的血，
誰是神農黃帝的遺孽。

告訴我那智慧來得離奇，
說是河馬獻來的饋禮；
還告訴我這歌聲的節奏，
原是九苞鳳凰的傳授。

誰告訴我戈壁的沈默，
和五嶽的莊嚴？又告訴我

泰山的石霤還滴着忍耐，
大江黃河又流着和諧？
再告訴我，那一滴清淚
是孔子弔嘗死麟的傷悲？
那狂笑也得告訴我才好，——
莊周，淳於髡，東方朔的笑。
請告訴我誰是中國人，
啟示我，如何把記憶抱緊；

(32

請告訴我這民族的偉大，
輕輕的告訴我，不要喧譁！

一句話

有一句話說出就是禍，
有一句話能點得着火。
別看五千年沒有說破，
你猜得透火山的緘默？
說不定是突然着了魔，
突然青天裏一個霹靂
爆一聲：

『咱們的中國！』

這話教我今天怎麼說？
你不信鐵樹開花也可，
那麼有一句話你聽着。
等火山忍不住了緘默，
不要發抖，伸舌頭，頓脚，
等到青天裏一個霹靂
爆一聲：
『咱們的中國！』

荒村

「……臨淮關梁園鎮間一百八十里之距離，已完全斷絕人烟。汽車道兩旁之村莊，所有居民，逃避一空。農民之傢具木器，均以繩相連，沈於附近水塘稻田中，以避火焚。門窗俱無，中以棺材或石堵塞。一至夜間，則燈火全無。雞犬豕等覓食野間　亦無人看守。而間有玫瑰芍藥叢牆隅自開。新尚稍缺，翠蕊宜人。草木繁

66

知，其斯之謂歟？—

民國十六年，五月，十九日新聞報

他們都上那裏去了？怎麼
蝦蟆蹲在甑上，水瓢裏開白蓮；
桌椅板凳在田裏堰裏飄着；
蜘蛛的繩橋從東屋往西屋牽？
門框裏嵌棺材，窗櫺裏鑲石塊！
這景象是多麼古怪多麼慘！
鐮刀讓它銹着快銹成了泥，

拋着盤個的魚網在灰堆裏爛。
天呀！這樣的村莊都留不住他們！
玫瑰開不完，荷葉長成了傘；
秧針這樣尖，湖水這樣綠，
天這樣青，鳥聲像露珠樣圓。
這秧是怎樣綠的，花兒誰叫紅的？
這泥裏和着誰的血，誰的汗？
去得這樣的堅決，這樣的脫灑
可有什麼苦衷，許了什麼心願？
如今可有人告訴他們：這裏

猪在大路上游，鴨往猪羣裏攢，
雄雞踏翻了芍藥，牛吃了菜！
告訴他們太陽落了，牛羊不下山，
一個個的黑影在崗上等着，
四合的䂶障龍蛇虎豹一般，
它們望一望，打了一個寒噤，
大家低下頭來，再也不敢看；
（這也得告訴他們）它們想起往常
暮寒深了，白楊在風裏顫，
那時只要站在山頭嚷一句，

山路太險了，還有主人來攙；
然後笛聲送它們踏進欄門裏，
那稻草多麼香，屋子多麼暖！
它們想到這裏，滾下了一滴熱淚，
大家擠作一堆，臉偎着臉……
去！去告訴它們主人，告訴他們，
什麼都告訴他們，什麼也不要瞞！
叫他們回來！叫他們回來！
問他們怎麼自己的牲口都不管？
他們不知道牲口是和小兒一樣嗎？

可憐的畜生它們多麼沒有膽！
喂！你報信的人也上那裏去了？
快去告訴他們——告訴王家老三，
告訴周大和他們兄弟八個，
告訴臨淮關一帶的莊家漢，
還告訴那紅臉的鐵匠老李，
告訴獨眼龍，告訴徐半仙，
告訴黃大娘和滿村莊的婦女——
告訴他們這許多的事，一件一件。
叫他們回來，叫他們回來！

這景象是多麼古怪多麼慘！
天呀！這樣的村莊留不住他們；
這樣一個桃源，瞧不見人煙！

罪過

老頭兒和擔子摔一交，
滿地是白杏兒紅櫻桃。
老頭兒爬起來直哆嗦，
「我知道我今日的罪過！」
「手破了，老頭兒你瞧瞧。」
「唉！都給壓碎了，好櫻桃！」

『老頭兒你別是病了罷？
你怎麼直楞着不說話？』
『我知道我今日的罪過，
一早起我兒子直催我。
我兒子躺在床上發狠，
他罵我怎麼還不出城。
『我知道今日個不早了，
沒想到一下子睡着了。
這叫我怎麼辦，怎麼辦？

回頭一家人怎麽喫飯?」
老頭兒拾起來又掉了,
滿地是白杏兒紅櫻桃。

天安門

好傢伙！今日可嚇壞了我！
兩條腿到這會兒還哆唆。
瞧着，瞧着，都要追上來了，
要不，我爲什麽要那麽跑？
先生，讓我喘口氣，那東西，
你沒有瞧見那黑漆漆的，
沒腦袋的，蹩腳的，多可怕，

還搖晃着白旗兒，說着語。
這年頭眞沒法辦，你問誰？
眞是人都辦不了，別說鬼。
還開會啦，還不老實點兒！
你瞧，都是誰家的小孩兒，
不才十來歲兒嗎？幹嗎的？
腦袋瓜上不是使槍軋的？
先生，聽說昨日又死了人，
管包死的又是儍學生們。
這年頭兒也眞有那怪事，

那學生們有的喝，有的喫，—
咱二叔頭年死在楊柳青，
那是餓的沒法兒去當兵，—
誰拿老命白白的送閻王！
咱一輩子沒撒過謊，我想
剛澹上倆子兒油，一盤勺，
怎麼走着走着瞧不見道。
您不得小禿子嚇掉了魂，
勸人黑夜裏別走天安門。
—得就算咱拉車的活倒霉，

起的日北京滿城都是鬼！

飛毛腿

我說飛毛腿那小子也眞夠彆扭，
管包是拉了半天車得半天歇着，
一天少了說也得二三兩白干兒，
醉醺醺的一死兒拉着人談天兒。
他媽的誰能陪着那個小子混呢？
『天爲啥是藍的？』沒事他該問你。
還吹他媽什麼簫，你瞧那副神兒，

窩着件破棉襖，老婆的，也沒準兒，
再瞧他擦着那車上的倆大燈罷，
擦着擦着問你曹操有多少人馬。
成天兒車燈車把且擦且不完啦，
我說『飛毛腿你怎不擦擦臉啦？』
可是飛毛腿的車擦得眞夠亮的，
許是得擦到和他那心地一樣的！
嗐！那天河裏飄着飛毛腿的屍首，……
飛毛腿那老婆死得太不是時候！

洗衣歌

洗衣是美國華僑最普遍的職業．因此留學生常常被人問道「你的爸爸是洗衣裳的嗎？」許多人忍受不了這侮辱．然而洗衣的職業確乎含着一點神秘的意義．至少我曾經這樣的想過．作洗衣歌．

（一件，兩件，三件，）

洗衣要洗乾淨！
（四件，五件，六件，）
熨衣要熨得平！

我洗得淨悲哀的濕手帕，
我洗得白罪惡的黑汗衣，
貪心的油膩和慾火的灰，……
你們家裡一切的髒東西，
交給我洗，交給我燙。

銅是那樣臭，血是那樣腥，
髒了的東西你不能不洗，
洗過了的東西還是得髒，
你忍耐的人們理它不理？
替他們洗！替他們洗！

你說洗衣的買賣太下賤，
肯下賤的只有唐人不成？
你們的牧師他告訴我說：
耶穌的爸爸做木匠出身，

你信不信？你信不信？

胰子白水耍不出花頭來，
洗衣裳原比不上造兵艦。
我也說這有什麼大出息——
流一身血汗洗別人的汗？
你們肯幹？你們肯幹？

年去年來一滴思鄉的淚，
半夜三更一盞洗衣的燈……

下賤不下賤你們不要管，
看那裏不乾淨那裏不平，
問支那人，問支那人。

我洗得淨悲哀的濕手帕，
我洗得白罪惡的黑汗衣，
貪心的油膩和慾火的灰，
你們家裏一切的髒東西，
交給我洗，交給我洗，

88

（一件，兩件，三件，）
洗衣要洗乾淨！
（四件，五件，六件，）
熨衣要熨得平！

聞一多先生的書桌

忽然一切的靜物都講話了，
忽然間書桌上怨聲騰沸：
墨盒呻吟道『我渴得要死！』
字典喊雨水濱濕了他的背；
信箋忙叫道彎痛了他的腰；
鋼筆說煙灰閉塞了他的嘴，

88

毛筆講火柴燒禿了他的鬚，
鉛筆抱怨牙刷壓了他的腿；
香爐咕噥着『這些野蠻的書
早晚定規要把你擠倒了！』
大鋼錶嘆息快睡銹了骨頭；
『風來了！風來了！』稿紙都叫了；
筆洗說他分明是盛水的，
怎麼喫得慣臭辣的雪茄灰；

桌子怨一年洗不上兩回澡，
墨水壺說『我兩天給你洗一回。』

『什麼主人？誰是我們的主人？』
一切的靜物都同聲罵道，
『生活若果是這般的狼狽，
倒還不如沒有生活的好！』

主人齩着煙斗迷迷的笑，
『一切的衆生應該各安其位。』

我何曾有意的糟塌你們，
秩序不在我的能力之內。」

一九二八年一月初版　實價五角半
一九二九年四月再版

版權所有

著作者　聞一多
發行者　新月書店

總發行所　上海望平街一六一號　新月書店